El limonero real

Seix Barral Biblioteca Breve

Juan José Saer
El limonero real

Saer, Juan José
    El limonero real.- 3ª ed.– Buenos Aires : Seix Barral, 2006.
    240 p. ; 23x14 cm.- (Biblioteca breve)

    ISBN 950-731-349-4

    1. Narrativa Argentina-Cuentos I. Título
    CDD A863

Diseño de colección:
Josep Bagà Associats

© 2002, Juan José Saer

Derechos exclusivos de edición
en castellano reservados para:
todos los países de América del Sur
© 2002, Grupo Editorial Planeta S.A.I.C. / Seix Barral
Independencia 1668, C 1100 ABQ, Buenos Aires

3ª edición: 1.500 ejemplares

ISBN-13 978-950-731-349-3
ISBN-10 950-731-349-4

Impreso en Printing Books,
General Díaz 1344, Avellaneda,
en el mes de marzo de 2006.

Hecho el depósito que indica la ley 11.723
Impreso en la Argentina

A Augusto Roa Bastos

Oveja perdida ven
sobre mis hombros que hoy
no sólo tu pastor soy
sino tu pasto también.

LUIS DE GÓNGORA

Amanece
y ya está con los ojos abiertos
Parece no escuchar el ladrido de los perros ni el canto agudo y largo de los gallos ni el de los pájaros reunidos en el paraíso del patio delantero que suena interminable y rico, ni a los perros de la casa, el Negro y el Chiquito, que recorren el patio inquietos, ronroneando excitados por el alba, respondiendo con ladridos secos a los llamados intermitentes de perros lejanos que vienen desde la otra orilla del río. La voz de los gallos viene de muchas direcciones. Con los ojos abiertos, echado de espaldas, las manos cruzadas flojas sobre el abdomen, Wenceslao no oye nada salvo el tumulto oscuro del sueño, que se retira de su mente como cuando una nube negra va deslizándose en el cielo y deja ver el círculo brillante de la luna; no oye nada, porque cincuenta años de oír en el amanecer la voz de los gallos, de los perros y de los pájaros, la voz de los caballos, no le permiten en el presente escuchar otra cosa que no sea el silencio.

Al flexionar la pierna derecha, apoyando la planta del pie sobre la cama, la sábana se eleva y arrastra el borde descubriendo un poco su pecho desnudo y el hombro de ella, que está echada boca abajo, también despierta aunque con los ojos cerrados. Ella gruñe, de un modo casi inaudible. Apenas abre los ojos Wenceslao sabe que está despierta —ha parecido, durante esos treinta años, despertar siempre una fracción de segundo antes que él— aunque no habla ni suspira ni se mueve. Suspirará después, cuando él se incorpore y salga de la cama. Mientras está acostado, moviendo una que otra vez el brazo o la pierna, rascándose o suspirando, ella o bien simula dormir, o bien quiere creer que duerme todavía, o bien cree de veras que sigue durmiendo y que todavía no ha despertado y que recién despertará cuando él se levante y salga de la cama.

Al flexionar la pierna, la vieja cama de hierro y bronce cruje en el elástico y chirrea en las muescas de hierro donde el elástico se apoya en el espaldar. En el interior del rancho apenas si alcanzan a divisarse los objetos más grandes: el ropero y su luna ovalada, alto y débil, el arcón a un costado de la cama, pegado a la pared de adobe, justo bajo el ventanuco de madera lleno de hendijas verticales por las que entra en el recinto la primera claridad gris del alba. Lo demás se esfuma en una penumbra gris que se hace más densa y negra en los rincones y arriba, en la juntura del techo de paja de dos aguas. Es en esa oscuridad en la que Wenceslao fija cada amanecer la mirada cuando abre los ojos: la oscuridad de afuera confirma que la oscuridad de adentro se ha retirado y que por lo tanto está despierto.

Wenceslao alza la sábana y sale de la cama. El calzoncillo blanco le llega hasta las rodillas, y como es demasiado holgado se sostiene gracias a la turgencia leve del abdomen y deja ver el ombligo. Wenceslao se viste con rapidez mientras ella, en la cama, suspira, bufa y se mueve, simulando no estar acabando de despertar, sino haber estado a punto de hacerlo, como si no supiera también ella que durante treinta años ha estado despertando cada amanecer una fracción de segundo antes que él. La luz continúa creciendo y la claridad que se cuela por entre las hendijas verticales del ventanuco ya no es gris y destella. Wenceslao se pone la camisa, una camisa que ha perdido todo color después de cincuenta lavadas —tiene apenas la virtud de sugerir el color original sin la fuerza suficiente como para hacer preguntarse cuál ha sido en realidad ese color, aunque parezca saberse— y después el pantalón, levantando primero la pierna izquierda y después la derecha, haciendo un equilibrio jovial que en un momento dado lo obliga a dar un salto hacia adelante, apoyado en una sola pierna, cuando la botamanga queda por un segundo enganchada en el talón. Mete los pies en las alpargatas sin calzárselas, haciéndolo sin pararse recién después de atravesar la cortina de cretona ordinaria que separa el dormitorio del otro recinto que forma con el dormitorio el cuerpo total del rancho. A este recinto ellos lo llaman "el comedor", aunque nunca comen ahí, sino en la chocita alzada a un costado del rancho, a la que ellos llaman "la cocina", o bien en el patio, si es que hace calor; los dos ambientes están divididos por un tabique delgado de adobe que no llega hasta el techo de paja y que cubre tres cuartos de la habitación. A partir del borde del tabique no hay nada, salvo la cortina, que queda moviéndose detrás de Wenceslao cuando éste penetra en el comedor y se calza las alpargatas. A través de las hendijas de la puerta de madera que da al patio, despareja lo mismo que el ventanuco, se cuelan unos destellos verticales y rectos de luz rojiza. En el comedor hay una vasta mesa rectangular y cuatro sillas de madera amarilla y asiento de paja. Wenceslao tose, abre la puerta alzando la traba de madera y sale al patio, arrimando la puerta detrás suyo. Como salidos de la gran mancha roja del horizonte en el este, el Negro y el Chiquito rodean a Wenceslao sin ladrar, ronroneando. El Negro es tan alto que Wenceslao no necesita inclinarse para tocarle el lomo: y aparte de la altura, es también su pelambre negra, lisa y brillante, lo que impresiona, y los ojos negros saltones que emiten reflejos húmedos mientras su lengua rosa cuelga temblorosa y larga a un costado del hocico abierto por el que pueden verse las gruesas encías rosas y los dientes blancos. Wenceslao repite dos o tres veces "Buenos días" —dice "buenosh díash", como si hablara con un niño, empleando ese tono adecuado a las mentes inferiores que demuestra que las mentes inferiores tienen la superioridad suficiente como para reducir a las mentes superiores a su nivel— y

13

avanza deteniéndose a cada momento ante los saltos del Chiquito, que ronronea y trata de alcanzar su cara para lamérsela. "Vamos, vamos, fuera, váyase de aquí", dice Wenceslao, simulando una voz enérgica, mezclada a una risa breve. Por fin se acuclilla en medio del patio delantero y acaricia el lomo del Chiquito, que queda inmóvil, con las patas abiertas y la cabeza alzada, mirándolo fijo. Wenceslao deja de reírse y le acaricia el pelo blanco del lomo, salpicado de manchas negras, algunas chicas y otras más grandes, en especial la que le cubre la cabeza y termina confundiéndose por delante con el hocico negro. Da la impresión de que alguien le hubiese echado encima un baldazo de brea, un baldazo que en gran parte no ha hecho más que salpicarlo. El Negro ha apoyado sus patas delanteras en el muslo de Wenceslao y también lo mira. Wenceslao se queda un momento inmóvil, en cuclillas, horadado por los ojos negros y por los ojos dorados, una mano apoyada quieta en el lomo manchado del Chiquito, la otra en la cabeza del Negro, frente al sol cuyo semicírculo superior ha emergido entero del horizonte manchando a su alrededor el cielo de rojo. No sopla ningún viento. En el centro del patio delantero, el paraíso está quieto, lleno de pájaros que saltan cantando. Todavía no proyecta ninguna sombra, pero en la copa algunas hojas están nimbadas por resplandores dorados, como si la luz brotara de él y no del sol, y un rayo de luz, inesperado y también como brotando del árbol mismo y no del sol, centellea en el centro de la fronda. En seguida el árbol proyectará de golpe una sombra larga, cubriendo la mesa apoyada en el tronco. La sombra decrecerá gradual hasta mediodía, para desaparecer por un momento, y reaparecer en seguida del lado opuesto a la mesa, estirándose ahora lenta y gradual hasta que el sol se borre y no quede otra cosa que sombra. Es, para Wenceslao y para ella, en efecto, así: "la mesa"; ahí almuerzan y cenan de octubre a marzo, a no ser que llueva o sople viento del norte. En esos casos comen en "la mesita chica", dentro del rancho al que le dicen la cocina. La mesa de madera rodeada por las sillas amarillas se llama "la otra mesa". Nunca han comido en ella, salvo cuando él murió, ya que lloviznaba y mucha gente se quedó a comer, de modo que en la "mesita chica" no podían caber todos, como tampoco en la cocina. Wenceslao se para y el Negro se aleja, moviendo la cola, desapareciendo detrás de la casa. El Chiquito se queda inmóvil, mirando fijo el aire, la cabeza alzada, las orejas verticales y tensas, la cola arqueada hacia arriba, como si estuviese invadido por un recuerdo más que por un pensamiento. En el suelo por el que camina Wenceslao no crece una sola mata de pasto y es tan duro que las alpargatas no dejan en él ninguna huella. Apenas si en algunas porciones del patio delantero la tierra parece más floja —los lugares menos transitados—, liberando una capa delgada de arena cuyos cristalitos producen un brillo seco. Todo alrededor del patio —separado del resto de la isla por un alambrado— crecen los árboles que nadie plantó nunca, los algarrobos, los espinillos y los ceibos y los sauces, los yuyos de sapo, las amapolas salvajes y las verbenas del campo y las manzanillas y las plantas venenosas. Pero desde la puerta de alambre que separa el patio del campo, una puertita que tiene la altura del alambrado —un poco más de un metro— arranca el sendero angosto de tierra arenosa en el que los pies dejan una huella profunda y que se ensancha al llegar a la playa amarilla que bordea el río. En el patio no hay nada más que el frente del rancho, árido y débil como un telón pintado, el paraíso y "la mesa", y Wenceslao deja de avanzar hacia el paraíso y "la mesa" y rascándose la coronilla de la cabeza veteada de gris se da vuelta y se dirige a la parte trasera de la casa pasando por entre el rancho y la cocina, a través de un espacio abierto entre los dos y cubierto por una angosta techumbre de troncos y pajabrava que ellos llaman "la galería". El Chiquito se ha echado en el suelo enroscándose en sí mismo, dormitando, como si el recuerdo del que ha estado haciendo memoria hubiese parecido tan digno de atención que solamente desentendiéndose del cuerpo y de gran parte de la mente podría aprehenderlo a fondo. Antes de acabar de verlo, pasando junto a él y después bajo la galería, Wenceslao ve otra vez al Negro, que hurga y humea un tarro lleno de restos de pescado crudo que huele a podrido. El tarro está en la parte trasera, contra la esquina del rancho. Wenceslao tira una patada suave que el perro esquiva sin asustarse, haciéndose rápido a un lado y volviendo a hurgar el tarro con el hocico y la pata, inclinándolo hasta casi volcarlo. Wenceslao está ya en el patio trasero, al que ellos le dicen "atrás". El patio delantero es "adelante". "Atrás" hay naranjos, mandarinos y limoneros plantados a tresbolillo, y paraísos y una higuera, y debajo de uno de los paraísos una chocita endeble que es el excusado. Sostenida por travesaños y puntales de madera, una parra cargada de hojas y de racimos que ya negrean forma una techumbre apretada, adherida a todo lo largo de la pared trasera del rancho. Hay tantos árboles que desde el fondo del patio el rancho apenas si se veía. Durante treinta años Wenceslao ha trabajado esa tierra con sus propias manos, ha cuidado los árboles, podándolos y curándolos de plagas y enfermedades, ha orientado paciente la parra con puntales y travesaños para que forme cada verano esa techumbre entretejida de hojas y racimos, ha levantado los ranchos y eso a lo que le dicen la galería, y sin embargo, seis años atrás, cuando él murió, durante por lo menos dos años la tierra que Wenceslao ha ganado a ese ejército sin origen de ceibos y de sauces y de espinillos y de verbenas del campo, estuvo visitada por arañas y por víboras y se llenó de plantas venenosas.

Amanece

y ya está con los ojos abiertos

Se ha levantado y se ha vestido y ha estado jugando un momento con los perros y ahora orina en el excusado, con la puerta abierta.

Ella viene desde el interior del rancho. Wenceslao oye cómo abre y cierra la puerta y el bisbiseo de sus chancletas arrastrándose por el piso duro de tierra va haciéndose cada vez más próximo y nítido. Cuando sale del excusado, abrochándose la braqueta, la ve doblar la esquina del rancho y dirigirse hacia él bajo la parra. Tiene puesto el batón negro descolorido y escotado que le llega hasta más abajo de las rodillas, y camina con lentitud sobrellevando ese aire peculiar de modorra y distracción que tienen las personas que han dormido demasiado bien o no han dormido en absoluto.

—Buen día —dice Wenceslao yendo para la bomba.

Su voz es rápida y algo aguda. La de ella, en cambio, al responder "Buen día" pasando junto a Wenceslao y dirigiéndose al excusado, es más bien grave y suena después de un momento.

Cuando ella entra en el excusado Wenceslao se lava la cara. Primero cierra la canilla y después bombea enérgico y rápido y después se inclina sobre la boca de la canilla abriéndola otra vez y recogiendo con el hueco de las manos juntas agua del chorro grueso que sale de la canilla. Se refriega la cara, el cabello, el cuello y la nuca. Tiene la piel tensa y quemada por el sol, y en lo alto de la frente una franja blanquecina que separa la frente del cabello y que es la huella dejada por el sombrero de paja. Wenceslao se moja una y otra vez la cara y después, con los ojos cerrados, cierra tanteando la canilla y se da vuelta, los brazos extendidos para no tocarse la ropa con las manos mojadas, aunque en el pantalón, a la altura del muslo derecho, ha quedado una gran mancha húmeda. Tanteando, con los ojos cerrados, Wenceslao se dirige hacia la pared del rancho y saca una toalla que cuelga de un clavo entre un espejito redondo con un marco rojo de plástico y una repisa de madera repleta de potes, frascos y peines. Wenceslao se seca la cara y la nuca y después se peina, mirándose en el espejo: tiene los ojos chicos, oscuros y brillantes, la piel áspera y reseca, llena de arruguitas, sobre todo alrededor de los ojos y en la frente; de la base de la nariz parten dos líneas simétricas, curvas, hundidas, que llegan hasta la comisura de los labios y separan la boca de las mejillas rasuradas.

El Negro tumba por fin el tarro lleno de pescado podrido y se sobresalta, haciéndose a un lado. Wenceslao lo espanta simulando que va a correr hacia él pero limitándose a golpear el suelo con la planta del pie. El Negro desaparece detrás del rancho, adelante, rápido. Ella sale del excusado y se dirige a la bomba. Wenceslao va atrás de ella y cuando ella abre la canilla y se inclina al chorro débil de agua que sale por la boca, Wenceslao comienza a bombear.

El chorro de agua se hace más denso —es blanco, árido y opaco ahora— y las partículas transparentes en que se deshace al chocar contra sus manos brillan en los primeros rayos del sol que atraviesan el cielo horizontales y destellan en las hojas de los árboles y en las gotas que se deslizan por la piel fláccida de su cuello.

—Voy ir a saludar a Rogelio esta mañana —dice Wenceslao sin dejar de bombear.

Ella se pasa la yema de los dedos mojados por los párpados y después toma un trago de agua. Se yergue, mirando a Wenceslao mientras hace un largo buche con el agua. Wenceslao deja de bombear y se queda mirándola. Ella se da vuelta y escupe el agua.

—Llevale unos limones —dice, yendo hacia la pared y recogiendo la toalla. Se seca despacio.

—Eso pensaba —dice Wenceslao.

—Y unas brevas —dice ella.

—Si le llevo brevas —dice Wenceslao— y tienen gente en la casa, no van alcanzar para nadie.

—Rosa me pidió brevas —dice ella.

—Pasadas las fiestas —dice Wenceslao—, cuando estén solos otra vez, les llevamos brevas, cosa que puedan probarlas.

—Pasadas las fiestas no hay más brevas —dice ella.

—Bueno —dice Wenceslao.

Mira la cara redonda, la piel oscura y llena de arrugas.

Los ojos han ido achicándose desde que él murió y ahora parecen dos heridas rectas y cortas a medio cicatrizar. Ahora parecen no destellar más que cuando por momentos la certidumbre y no el simple recuerdo de que él murió la arrasan provocándole una desesperación súbita análoga a la locura. Pero ahora parecen no sólo no destellar, parecen incluso ciegos y no existir.

—Es un lindo día —dice Wenceslao, mirándola inmóvil.

—Sí —dice ella.

Comienza a peinarse el cabello áspero y negro, sin una cana. Se ha dado vuelta para mirarse en el espejo. Wenceslao mira su espalda ancha y cómo la mano oscura sube y baja con el gran peine negro que hace chasquear el cabello. Antes de volverse y caminar en dirección a adelante, Wenceslao hace un gesto casi imperceptible en su cara arrugada y reseca.

Saca de la cocina a adelante un brasero de hierro negro, redondo y de tres patas, y lo deja cerca del paraíso. Trae ramas secas de la cocina que apila con lentitud y cuidado sobre unos papeles que hay en el interior del brasero y después enciende un fósforo y acerca el extremo de la llama a los papeles. Después que el papel comienza a arder deja caer el fósforo entre las llamas que vacilan y empiezan a despedir una columna débil de humo por el respiradero que Wenceslao ha dejado en la cima de la pila de leña. Cuando las llamas empiezan a crecer la columnita de humo disminuye y Wenceslao se vuelve y va a llenar con agua de la bomba una pava manchada de hollín y llena de abolladuras que saca de la cocina. Ella está todavía peinándose. El pilar de ladrillos revocados sobre el que se asienta la bomba está cubierto en la parte inferior por una capa de musgo y bajo la boca de la canilla la tierra es mucho más oscura que en el resto del patio. Ahora se ha formado un charquito que refleja la luz solar pero más tarde, si es que por un par de horas ni ella ni Wenceslao usan la bomba, la tierra lo absorberá dejando sin embargo el imborrable manchón húmedo. Wenceslao vuelve con la pava y espera parado junto al brasero, alrededor del cual el Negro y el Chiquito corretean en silencio, palpitantes. La leña seca crepita entre las llamas translúcidas y espesas que terminan en unos hilitos de humo negro. El paraíso proyecta una sombra inmóvil llena de perforaciones luminosas, y la sombra de Wenceslao detenido con la pava en la mano cerca del brasero se extiende paralela a la de éste, rematada en franjas negras y ondulantes que se angostan y se ensanchan, se retuercen, se extienden o se contraen y a veces se cortan y separándose de la sombra del brasero permanecen una fracción de segundo proyectadas sobre la tierra dura antes de desaparecer. Cuando las llamas disminuyen Wenceslao coloca la pava sobre los dos hierros negros que cruzan la boca redonda del brasero, y va a la cocina a preparar el mate. Ella viene de atrás: se ha recogido el pelo en un rodete trabajoso ceñido sobre la cima de la cabeza. Trae una caja de lata y unas camisas y unas medias y cuando Wenceslao sale de la cocina trayendo el mate y la bombilla y una silla de paja medio desfondada y la deja al lado de la mesa, ella deja la caja y la ropa sobre la mesa, junto al mate y la bombilla que Wenceslao ha depositado en la mesa antes de volverse en dirección a la cocina, y se sienta, abriendo la caja de lata y sacando una almohadilla de paño naranja llena de agujas de acero, unas madejas de hilo, un dedal y un mate reluciente que nunca ha sido usado más que para zurcir. Wenceslao vuelve de la cocina trayendo otra silla a la rastra, de modo que las patas dejan sobre la tierra una doble huella tortuosa, superficial. Wenceslao deja la silla al costado de ella, de frente al paraíso, y vuelve a buscar la pava, que ha comenzado a chillar y a lanzar un chorro de vapor grisáceo por el pico.

Wenceslao se sienta y prepara el mate. Ella está hilvanando una franja negra de cinco centímetros de largo en el borde superior del bolsillo de una camisa.

—Pierden el color y manchan la camisa —dice.

—Creo que el agua se me ha hervido —dice Wenceslao sin mirarla, inclinado hacia la boca del mate.

—No puedo andar cosiéndolas todo el día —dice ella.

Wenceslao le alcanza el mate.

—Después —dice ella—. Tenés que tener más cuidado con estas cintas.

Wenceslao empieza a tomar el mate que ella ha rechazado.

—Ya te he dicho que ha pasado el tiempo del luto. Ha pasado el tiempo del luto. Ya te he dicho que ha pasado —dice.

Ella sigue hilvanando la cinta negra en el borde superior del bolsillo de la camisa.

—¿No querés venir conmigo a saludar a Rogelio y a tu hermana? —dice Wenceslao.

—Hoy no —dice ella.

—¿No vas a saludar a tu hermana el fin de año? —dice Wenceslao.

—No, hoy no —responde ella tranquila, y después arranca con los dientes un sobrante de hilo del hilván que acaba de hacer en el borde superior del bolsillo de la camisa. Deja la camisa sobre la mesa y comienza a meter el mate en una media negra llena de agujeros. Deja el mate enfundado en la media encima de la mesa. Comienza a enhebrar una aguja con hilo negro, humedeciendo la punta del hilo con los labios y tratando una y otra vez de ensartarla en el ojo de la aguja. Al concentrarse en la operación saca la punta de la lengua mordiéndosela con suavidad.

Wenceslao pasa despacio y con cuidado el dedo por el borde del mate que acaba de cebar, a fin de secar una gota que ha dejado una estela húmeda al deslizarse sobre la superficie amarillenta del mate. El Negro y el Chiquito se persiguen uno a otro, viniendo desde atrás, seguidos por sus sombras. Se alcanzan cerca del brasero y comienzan a revolcarse, gruñendo y ronroneando y moviendo la cola sin parar. Ella ensarta por fin el hilo en el ojo de la aguja y lo hace correr antes de agarrar el mate que le alcanza Wenceslao; mientras chupa la bombilla anuda los dos extremos del hilo negro valiéndose del índice y el pulgar de la mano izquierda.

—El año pasado tampoco fuiste —dice Wenceslao—. Va creer que tenés algo con ella.

—Ella sabe —dice ella—. No tengo nada con ella.

—¿Te vas a quedar siempre aquí, sin salir a ninguna parte? —dice Wenceslao.

—Estoy de luto —dice ella.

—Ya te he dicho que ha pasado el tiempo del luto —dice Wenceslao.

—Para mí no —dice ella.

Le devuelve el mate y agarrando la media empieza a zurcir los agujeros. Wenceslao comienza a mordisquearse apenas el costado del labio inferior: arruga la frente y sus cejas veteadas de gris se reúnen en el arranque de la nariz.

—Hace seis años que murió. ¿Hasta cuándo te vas a quedar aquí encerrada? —dice después de un momento.

Ella no responde, vigilando el trabajo de sus manos.

Pasaba corriendo a través del patio, viniendo desde el rancho, cada mañana, en dirección al río, con el pantaloncito descolorido y la piel quemada y vuelta a quemar por el sol de enero; pasaba cerca del paraíso, seguido por su sombra, y desaparecía por el senderito de arena hasta que desde el patio se oía por fin el golpe seco de la zambullida y después el chapoteo de las brazadas. Volvía media hora después, chorreando agua, la piel oscura quemada y vuelta a quemar por el sol, el pecho flaco listado por la presión de las costillas, y se quedaba parado, casi en el mismo lugar en el que ahora está el brasero, riéndose y mostrando una doble hilera de dientes blancos que brillaban y brillaban. Proyectaba una sombra el triple de larga que la del brasero. Se vestía y salía con Wenceslao a recorrer los espineles tendidos la noche antes, y hasta media mañana iban de una orilla a la otra, remando despacio en la canoa verde que dejaba una estela débil en la superficie lisa del río, recogiendo los pescados todavía vivos que destellaban al sol y cargando en la canoa las redes y las líneas para ponerlas a secar. Justo tenía que venir a cumplir veinte años y tenía que venir a tocarle la conscripción y enviciarse con esa ciudad de porquería y quedarse en ella cuando terminó la conscripción. Y tenía que pasarle justo a él encontrar ese trabajo en la obra de construcción, y que hubiese puesto en el andamio ese balde de mezcla con el que tenía que tropezar y venirse abajo.

Después de un momento, ella dice:

—Ellos saben que yo no salgo.

Wenceslao no contesta. Vuelve a llenar el mate y empieza a chupar la bombilla, los ojos fijos en el vacío. Por la expresión de su cara pareciera estar pensando algo ya pensado muchas veces, tantas que la costumbre misma de ese pensamiento le da a su cara no sólo un aire de profunda meditación sino también de profunda certeza. El Chiquito llega corriendo y se para de golpe junto a Wenceslao, mirándolo fijo: sus ojos dorados giran en espirales doradas, imperceptibles, y la pelambre en tensión, manchada de puntos negros, está como erizada. El Negro llega en seguida, su pelo negro emitiendo destellos azulados, y empieza a jugar con las patas en la cabeza del Chiquito. Éste se sacude violento, dos o tres veces, y después corre hacia atrás, seguido por el Negro. Sus ladridos resuenan en el aire inmóvil que está comenzando a entibiarse. A mediodía el sol calcinará el aire, lo hará polvo; la arena de la costa se pondrá blanca, la tierra parecerá cocida y después como encalada, y cruzando el río y a una hora de a pie desde la otra orilla, el camino de asfalto que lleva a la ciudad se llenará de espejismos de agua.

Cuando termina su mate Wenceslao lo deja sobre la mesa y se levanta, dirigiéndose al interior del rancho. De un clavo en la pared del dormitorio descuelga un sombrero de paja y se lo cala sin ningún cuidado. Recoge un paquete de "Colmena" de encima de la mesa de luz, saca un cigarrillo y se guarda el paquete en el bolsillo del pantalón. Sale otra vez y su sombra se proyecta sobre la pared de adobe del rancho. El ala curva del sombrero de paja le hace sombra sobre la frente y los ojos. Ella no se ha movido de la silla; de espaldas a Wenceslao, continúa encorvada sobre su trabajo, los pies descalzos apoyados en los travesaños de la silla, entre cuyas patas se hallan las chancletas vacías, descoloridas. Wenceslao va hacia el brasero, se acuclilla, apoya un momento el extremo del cigarrillo contra una brasa, y después lo retira llevándoselo a los labios. Chupa con fuerza, la mano que ha sostenido el cigarrillo detenida abierta cerca de la cara, en el aire, y cuando echa la primera bocanada se incorpora y se dirige despacio hacia el patio de atrás. El humo queda detrás suyo, una nube grisácea en el aire inmóvil que nunca termina de disgregarse y desaparecer, tan evanescente que no proyecta ninguna sombra en el suelo.

La canoa se ha deslizado el último tramo sin necesidad de los remos, uno de los cuales yace en el fondo de madera. La canoa toca la costa. La niebla rodea todo, compacta, húmeda y blanca, y ellos dos y la canoa son lo único que se ve. No se ve ni el agua, como si la canoa y sus dos ocupantes, sentados uno frente al otro, constituyesen el único centro móvil y corpóreo flotando indeciso en la nada. Al tocar la costa y vararse la embarcación débil vibra y se estremece, y el hombre, sentado de espaldas a la dirección que han venido llevando, vuelve lento la cabeza cubierta por un sombrero gastado de fieltro negro. El chico mira siempre, ansioso pero en retardo, en la dirección que sigue la mirada del padre.

—Llegamos —dice Wenceslao.

—Parece que sí —dice el padre.

Sus ojos escrutan la masa blanca y espesa de la niebla, entrecerrándose. El aire líquido ha ido empapándolos, gradual. Wenceslao tiembla aunque en noviembre no hace frío, y mira con ansiedad la cara de su padre para encontrar en ella la explicación de esa niebla blanca que ha borrado lo que ellos conocían hasta media hora antes como "el río" y "la isla", pero el padre no ve la mirada de Wenceslao; se incorpora, con gran lentitud y cuidado, y recoge la cadena. La canoa varada apenas si se mueve. El cuerpo del padre se recorta nítido y lleno de relieves contra ese fondo de niebla que muerde los contornos de su figura. Cada vez que mueve los brazos haciendo correr la cadena que emerge rechinando del fondo de la canoa, parece fundar en medio de la nada núcleos corpóreos nuevos y fugaces, como si la niebla, en vez de retroceder, se abriera para después cerrarse, devorándolos. El padre aferra por fin el extremo de la cadena, del que cuelga una cuña de hierro, y se da vuelta, elevándose un momento al pararse sobre el vértice de la proa, y reduciéndose después al saltar al suelo (es el suelo, porque de haber caído en el agua Wenceslao hubiese oído el chapoteo). No sólo se ha reducido: se ha desvanecido también de golpe en la niebla y su corporeidad consiste ahora en unas manchas oscuras que relumbran húmedas y se mueven transformándose, incesantes. Parecen la figura de un hombre vista a través de un vidrio empañado. Después las manchas avanzan, adelantándose, moviéndose, atraviesan la envoltura húmeda y mordiente de la nada, y cuajan otra vez, después de metamorfosearse varias veces y vacilar, en la figura de su padre elevándose al pisar la proa de la canoa que se estremece un poco, y reduciéndose y volviéndose patente otra vez al sentarse frente a Wenceslao. Es la mirada de su padre, cuyos ojos sonríen de un modo vago, lo que le revela a Wenceslao que no ha respirado durante varios segundos y que tiene la boca abierta y las manos crispadas aferradas al borde del asiento de madera.

—¿Qué le pasa, mi amigo? —dice el padre.

—Nada —dice Wenceslao.

—No tenga miedo —dice el padre. Comienza a sacar las cosas del fondo de la canoa. Está sentado con las piernas abiertas, los pantalones rotosos empapados, y se inclina hacia adelante sacando la escopeta cubierta por una funda de lona.

—Tenga —dice, dándole la escopeta a Wenceslao, que agarra la escopeta con las dos manos y después la apoya sobre sus rodillas. El padre saca un bulto envuelto en un trapo sucio y se lo entrega.

—Tenga esto también —dice.

—¿Cuándo va irse esta niebla, papá? —dice Wenceslao.

—Cuando suba el sol —dice el padre.

—¿Estamos en la isla ya, papá? —dice Wenceslao.

—Sí —dice el padre.

—¿Hay siempre niebla a esta hora, papá? —dice Wenceslao.

—A veces —dice el padre.

—¿Viene mucha gente a la isla? —dice Wenceslao.

—A ésta casi nadie —dice el padre—. Si Dios quiere, en enero vamos a limpiar una parte y nos vamos a mudar aquí.

El padre saca las trampas para las nutrias y un palo recto. Va poblando el reducido universo corpóreo y errátil con otros objetos que saca de la nada y que van encontrando su lugar en el sistema cerrado que constituyen. Después agarra el palo y una bolsa de lona que cuelga de su hombro y tercia sobre el pecho. Guarda el bulto envuelto en el trapo sucio y otro paquete, hecho con papeles de diario, dentro de la bolsa, y se tercia también la escopeta en sentido contrario a la bolsa. Se para, enderezándose el sombrero, y recoge el palo. Todo está húmedo y el palo reluce sin destellar en medio de esa luz —o de esa ausencia de luz— líquida.

—Vení conmigo —dice el padre.

Wenceslao se para, sintiendo un ligero temblor en las piernas. El padre pisa la proa y salta a tierra. Wenceslao hace lo mismo. Ahora caminan con gran lentitud, y cuando Wenceslao mira para atrás la canoa ha desaparecido. En su lugar queda otra vez la niebla cerrada, la miríada de partículas blancas húmedas que ha devorado la masa roja de lo que ellos llamaban "la canoa". Un pequeño fragmento de tierra los acompaña, un manchón amarillento —ese amarillo sucio y oscuro del humo sucio de las hojas podridas que—

mándose al atardecer— sobre el que ellos parecen tratar de avanzar sin resultado, como una plataforma que estuviese desplazándose horizontal bajo sus pies, bastante rápido como para estar siempre debajo e impedirles caer en el vacío. La espalda ancha del padre, cruzada por las cintas de lona, oscila flanqueada por la escopeta y la bolsa. El palo se balancea sostenido por su mano derecha. Hay tanto silencio —un silencio que devora rápido, como la niebla ha devorado la canoa colorada, el chasquido de sus alpargatas sobre la tierra— que en los oídos de Wenceslao resuenan todavía los chapoteos de los remos, únicos sonidos nítidos y persistentes, la caída regular en un río invisible de un par de remos rojos comidos hasta la mitad por la niebla. El padre se para y mira a su alrededor como si estuviera tratando de orientarse. Wenceslao también se para, mirando la cara de su padre, el bigote negro copioso, agolpado sobre el labio superior y cayendo achinado sobre las comisuras, la frente limitada por el sombrero negro. El padre observa la masa compacta de niebla que de vez en cuando despide destellos plateados, opacos, como tratando de conjurarla con la mirada y hacerla retroceder. No le responden más que la quietud y el silencio. Ahora no parece ni que se hubiesen levantado, hubiesen tomado el desayuno magro, dejando a la madre y a los chicos durmiendo en el rancho, y hubiesen atravesado lentos el río en la oscuridad, un río todavía visible aunque negro, y hubiesen penetrado en la niebla; y la más inescrutable oscuridad era toda la vida mejor que eso. Ahora no parece sino que la niebla hubiese devorado también el tiempo y su depósito, la memoria. El padre trata de horadar con la mirada la pared compacta de partículas blancas, como si esperara leer en la niebla un significado escrito en ella, el significado de la niebla misma, o el que la niebla oculta y ellos han venido a buscar, el significado de la razón que han tenido para venir a buscarlo.

—Un momento —dice el padre—. Un momentito.

Avanza unos pasos y la figura pierde primero todos sus

relieves, antes de perder su nitidez. Otra vez son unos manchones oscuros, vagos y destellantes, que ondulan, se agrandan y se achican, como organismos vivos, envueltos en capas cada vez más densas de partículas húmedas que se arremolinan a su alrededor.

—Vení, Layo —dice el padre.

Wenceslao avanza y recupera otra vez el cuerpo nítido, la cabeza cubierta por el sombrero negro, el bigote negro sobre el labio superior y la mirada preocupada y escrutadora.

—Creo que es por aquí —dice el padre.

Ahora no ha hablado con Wenceslao sino consigo mismo, con alguien guardado cuidadoso y continuo dentro de sí mismo, haciéndolo emerger súbito para consulta, confesión y compañía en un momento de duda y peligro.

—Sí —dice—. Es por aquí. ¿Es por aquí? No. Sí, sí. No. Sí. Es por aquí.

Avanza un poco, con Wenceslao pegado a su espalda oscilante. Se para de nuevo. Vuelve apenas la cabeza como si, no habiendo podido descubrir nada escrito en la niebla, esperara escuchar ahora algún sonido proveniente de ella. Pero parece no escuchar nada y avanza un paso, estirando el brazo, como si hubiese quedado ciego de repente y tratara de palpar el aire.

—Me parece que es por aquí —dice.

Las rodillas de Wenceslao tiemblan, y ya ni siquiera escucha el hasta unos minutos antes obstinado y persistente susurro rítmico de los remos.

—Sí —dice el padre—. Debe ser por aquí.

Avanza más, y Wenceslao lo sigue. La plataforma amarillenta continúa debajo de ellos imprecisa, irregular. El padre se para de un modo brusco, echando la cabeza hacia atrás y alzando la mano hacia la cara.

—Una rama —dice.

Se da vuelta. Están de frente uno al otro y casi se tocan. En la sien derecha el padre tiene una mancha roja que brilla húmeda. Se toca la herida con los dedos.

—Algo me rozó —dice.

Se mira las yemas de los dedos, manchadas de rojo. Extiende el palo a Wenceslao, que lo agarra, mirándolo mudo y pálido, y sacando un pañuelo rotoso del bolsillo trasero del pantalón trata de secarse la sangre de la herida. El pañuelo se mancha de rojo y la herida se perla otra vez de gotitas rojas y brillantez. El padre se seca los dedos con el pañuelo y vuelve a guardárselo en el bolsillo trasero del pantalón. Por un momento la mancha en la sien derecha refulge en medio de la opacidad pesada que produce en las cosas de ese universo limitado la filtración constante de la niebla, colándose por todo intersticio. Después su refulgencia se apaga, y la mancha rojiza se aviene a la opacidad vaga del resto.

—Es una rama —dice el padre—. Entonces no era por aquí.

Ahora que no se oye ni el chapoteo rítmico de los remos, cuyo susurro había persistido hasta un momento antes, como una cuña afilada penetrando en la masa espesa del silencio, Wenceslao siente que el temblor de las rodillas le sube hasta el estómago.

—Esperame aquí —dice de pronto, el padre—. Es mejor que vaya solo. Cuando empiece a abrirse la niebla te vas para la canoa.

Wenceslao está por decir algo pero no lo dice. El padre lo mira un momento y después lo palmea en el brazo. "Linda manera de empezar", dice, riéndose. "Pórtese como un hombre", dice, dándose vuelta. Saca el palo de entre sus manos dóciles y se aleja. Wenceslao se mira el brazo en el que él lo ha palmeado y ve sobre la tela de la camisa dos manchas borrosas de sangre. La figura del padre pierde otra vez, de un modo gradual, los relieves, y la voz que viene desde los manchones oscuros que van borrándose repercute indiferente y remota. "No te muevas. No tengas miedo", dice. "No", dice Wenceslao, pero sabe que no lo han oído.

Ahora hasta los manchones oscuros han desaparecido, y la plataforma de tierra amarillenta que ha venido acompañándolos se ha reducido, como si al alejarse el padre se hubiese llevado una parte. También Wenceslao se siente como una cuña afilada, penetrando la masa espesa de la niebla, y la niebla se ha cerrado por detrás, dejándolo adentro. Está en un hueco tan reducido que hay lugar para él solo, parado, con las manos estiradas a lo largo del cuerpo. Las paredes de esa caverna son elásticas, y aunque simulan docilidad, una vez adentro se ciñen otra vez al cuerpo y ahogan. Wenceslao se queda inmóvil, tratando de escuchar otra vez el chapoteo de los remos, pero lo ha perdido del todo; los contornos de la niebla, mordientes y en movimiento, giran puliendo y apagando los sonidos en su memoria; y el yacaré y la serpiente de la isla salen del letargo ancestral, poniéndose en movimiento en una costa barrosa y desierta; prestando atención, puede oírse algo que no es ni un sonido ni una voz sino más bien un rumor, el de la piel acerada por el tiempo deslizándose y dejando su huella imborrable en el barro virgen; y después la inmersión lenta, susurrante, de los cuerpos cuyos ojos giran en espiral rezumando eternidad, en el río de aguas intactas tostadas por un sol joven. Los cuerpos salen del agua relucientes: la serpiente larga de la isla repta tranquila, el vientre blanco deslizándose con facilidad sobre el barro primigenio, y el dorso trabajado con infinita minucia en arabescos rojos y verdes, rojos y verdes, intrincados, lentos, estrechos, entrecruzados, como una escritura en la que estuviese expresada la finalidad del tiempo y la materia de que está hecho. El yacaré muestra su dorso lleno de anfractuosidades verdosas —un verde pétreo, insoportable, planetario— en el que la escritura se ha borrado, o en el que una nueva escritura sin significado, o con un significado que es imposible entender, se ha superpuesto al plácido mensaje original, impidiendo su lectura. Se deslizan lentos sobre la costa, los ojos amodorrados por el letargo, y penetran en la zona de niebla, tan húmeda y adherente que el dorso del yacaré parece ahora cubierto por una pátina de moho, de musgo putrefacto, y los arabescos de la serpiente pierden su color, se deslavan y parecen un paciente tejido mineral de carbón y plata. La niebla envuelve la fronda de los árboles, una fronda de plata, mechada de flores blancas y negras, los árboles que nadie ha plantado nunca y cuyos troncos negros, resquebrajados, llenos de marcas rugosas, de cortes y de hendiduras, están mojados y rezuman goterones de un agua ciega, sin reflejos, surgiendo tétricos y fantasmales en medio de ese vapor envolvente que se ha comido su color. Wenceslao permanece inmóvil, tratando de escuchar. Dentro de la niebla parece una larva en el interior de un capullo apretado, ocupando un hueco que apenas contiene el tamaño de su cuerpo. Ahora que no queda ni rastro de los manchones oscuros y sin contornos, y que no repercute tampoco la voz llena de ecos opacos que los acompañaba puede percibirse cómo el silencio se mezcla con la niebla, filtrándose entre las miríadas de partículas blancas que vistas desde un metro de distancia pierden toda cohesión, y formando un solo cuerpo con ella. Wenceslao mira la plataforma estrecha de tierra amarillenta y arrastra los pies sobre ella para oír el chasquido de las alpargatas arañar el silencio liso. Durante dos o tres minutos el silencio es tan completo que al oír los primeros tintineos Wenceslao supone que se trata de una ilusión sonora propia del silencio, como si sólo se hiciese posible percibirlo mediante algún contraste de sonido, hasta tal punto que primero duda si los ha oído o no y después está seguro de haberse equivocado. Es cuando el tintineo suena por segunda vez, largo y apagado, cuando Wenceslao se sobresalta y su corazón empieza a latir más ligero, cuando empieza a saber que esos manchones oscuros a los que llamaba su padre han desaparecido, borrándose junto con su voz opaca sin dejar rastro, y que está solo, como un gusano de seda dentro del capullo, en el interior de la niebla, mientras la serpiente de la isla y el yacaré gris se arrastran hacia él, sobre la arena cenicienta. Wenceslao trata de escuchar, inclinando apenas la cabeza en la dirección desde la que parece provenir el tintineo. Pero el tintineo no parece provenir de ninguna dirección, o bien ese fluido lechoso ha abolido toda dirección, o es Wenceslao el que ha perdido todo su sentido, o se trata de varias campanitas tintineando alternadas en distintas direcciones. Wenceslao vuelve varias veces la cabeza hacia distintos lados y desde todos ellos la masa húmeda y blanca le devuelve ese sonido intermitente, metálico, de la campanita. Retrocede hacia lo que él cree que es la dirección en que han dejado la canoa, sin contar los pasos que da, y recién se detiene cuando toca con la espalda el tronco de un árbol. Salta hacia adelante y se da vuelta, con los ojos abiertos, las manos separadas del cuerpo, y ve el monte de árboles negros, chorreando agua, las frondas pálidas y cada vez más evanescentes con sus flores blancas y negras a medida que se alejan de donde él está parado, envueltos en ese vapor húmedo que gira lento y constante. Cuando escucha los golpes secos y otra vez el tintineo todavía está callado. Recién cuando ve la mancha oscura, larga e imprecisa moverse en dirección a él, cierra los ojos y comienza a chillar. Chilla y chilla y su cuerpo se pone tenso y él, con los ojos cerrados, no trata ni siquiera de correr. No hace más que chillar, sin llorar siquiera, y ni cuando de pronto los brazos de su padre, acuclillado junto a él en medio de la niebla, jadeando todavía, lo rodean diciéndole: "Es el cencerro de una yegua", y su padre comienza a murmurar "Querido. No es nada. Es un cencerro. Querido. Querido", ni cuando abre los ojos y ve en efecto a la pesada yegua madrina emerger de la niebla desde esos árboles negros, deja de gritar. Se calla recién cuando su padre lo alza con dificultad entre la bolsa y el palo y la escopeta enfundada y comienza a buscar entre la niebla, equivocándose muchas veces, el camino hacia la costa. Después el padre lo pone en el suelo y Wenceslao comienza a caminar detrás de él, en silencio, con los ojos todavía demasiado abiertos por el terror contemplando la espalda oscilante de su padre mientras éste escruta el torbellino de partículas húmedas y blancas buscando, tratando de encontrar, sin lograrlo durante un rato, acompañados por el chasquido de las alpargatas sobre la tierra amarillenta y el tintineo cada vez más espaciado y lejano de la yegua madrina, el sitio donde el agua chapotea monótona contra el costado de la canoa colorada.

Aparece y desaparece y vuelve a aparecer entre los árboles, en el patio trasero. La mañana se levanta lenta y Wenceslao es seguido por el Negro y el Chiquito que producen unas nubes de polvo diminutas al detenerse de un modo brusco clavando las uñas en la tierra en medio de su carrera. De entre las ramas de los citrus que despiden un olor a azahar frío y liviano, los pasos chasqueantes de Wenceslao y el tumulto de los perros hacen salir volando a unos pájaros grises que parten en línea recta, sin aletear, compactos y veloces como proyectiles. El cigarrillo cuelga inclinado de los labios entreabiertos de Wenceslao, que lleva en la mano un bolso viejo de paja, y se para junto al limonero real. Está en el centro justo de la arboleda y el resto de los árboles parecen ir agrupándose en círculos concéntricos o en espiral a su alrededor: está tan cargado de flores blancas, cuyos pétalos más débiles han caído sobre la tierra alrededor del árbol formando un círculo blanco, que su fronda esférica resplandece concentrando la luz o irradiando una luz propia que hace brillar el verde nuevo de las hojas duras, como si estuviesen recubiertas de una película de laca, y los limones amarillos y verdes llenos de poros.

Wenceslao comienza a arrancar limones, cuidando de no sacudir de un modo demasiado violento las ramas; como el humo del cigarrillo le da en los ojos, los entrecierra y echa para atrás la cabeza. Cada vez que el tirón con que Wenceslao arranca un limón sacude las ramas, algunos pétalos blancos caen lentos al suelo. El limonero real está siempre lleno de azahares abiertos y blancos, de botones rojizos y apretados, de limones maduros y amarillos y de otros que todavía no han madurado o que apenas si han comenzado a formarse. Desde que lo recuerda, Wenceslao lo ha visto siempre igual, pleno en todo momento, con ese resplandor blanco nimbándolo, el punto más alto de su ciclo en los grandes limones amarillos, los botones tensos y apretados a punto de reventar, los limoncitos verdes confundiéndose entre las grandes hojas, oscuras en el anverso y de un verde más claro en el reverso. Wenceslao deposita con cuidado en el interior del bolso de paja los limones que va arrancando, hasta que lo llena. Con el último limón que arranca y guarda en el bolso, tira el cigarrillo —no lo ha retirado una vez sola de los labios entreabiertos— que ha estado haciéndole guiñar los ojos y echar atrás la cabeza. El árbol sobrepasa mucho en altura a Wenceslao y vivirá más que él. Acomoda los limones dentro del bolso y va a dejarlo bajo la parra, en el suelo; el Negro y el Chiquito ronronean y se muerden uno al otro, con suavidad, el cuello, el hocico y las orejas, rodando por el suelo. Wenceslao atraviesa otra vez la arboleda y se dirige a lo que ellos llaman "la higuera del fondo". Es un árbol tan grande que sus ramas deformes, cargadas de hojas ásperas y grises, van a caer más allá del tejido, en el campo inculto que rodea el terreno. Contra el tronco principal, grueso y gris, del que parten dos ramas gruesas y redondas como las piernas separadas de un contorsionista puesto cabeza abajo, se apoya una caña larga que remata en la punta en un gancho de alambre. Wenceslao recoge la pértiga, atraviesa con ella la fronda espesa de la higuera, y engancha una breva amarilla semioculta entre las hojas, sacudiéndola con suavidad hasta desprenderla de la rama y hacerla caer. La breva no llega al suelo porque Wenceslao la espera con la mano abierta, elevada, para reducir el trayecto de la caída y hacerla menos violenta. Recibe la breva en la mano y deja la pértiga apoyada contra el tronco gris del árbol. Pela la breva y se la come. Mientras tritura con los dientes la pasta dulce de la breva, sin mirar a ninguna parte, Wenceslao se acomoda una y otra vez el sombrero de paja en la cabeza. Después deja de masticar y con la boca abierta trata de escuchar, inclinando la cabeza hacia el patio delantero. Le parece oír voces, de un modo vago: la de ella y otra voz que no alcanza a distinguir todavía muy bien. Corta una hoja de la higuera y se limpia las manos con ella. Las voces van haciéndose cada vez más nítidas y suenan apacibles en el silencio soleado.

El Ladeado bufó, para sí mismo, resopló, frunciendo los labios y estirándolos otra vez al apretar los dientes podridos. Su sombra flaca y torcida se proyectaba sobre la canoa y se torcía más todavía al quebrarse sobre el borde de la canoa y continuar proyectándose en el río. Estaba parado en el centro de la canoa y hundía la pala del remo en el fondo del río para acabar de alcanzar la orilla. La superficie del río estaba tan quieta que, al deslizarse, la canoa amarilla dejaba una especie de huella, una estela de surcos paralelos que apenas si se ensanchaba y que no terminaba nunca de borrarse. Hasta la sombra ladeada del tripulante parecía dejar huella. El Ladeado parpadeaba de un modo continuo debido a los efectos del sol, parpadeaba con un ritmo furioso, se abandonaba al parpadeo para no distraerse de su controversia. Al hundir en el agua la pala del remo, presionar con ella en el lecho barroso del río y darle envión, sacando después el remo, el Ladeado efectuaba una serie de movimientos con el cuerpo, movimientos a los que la costumbre había terminado por otorgarles una armonía propia. En esa armonía, el esfuerzo constante por mantener el equilibrio no producía ninguna disonancia.

—Tío me va decir —dijo el Ladeado.

Cuando la fuerza de su pensamiento era demasiado violenta, el Ladeado recurría a la palabra para disminuir la presión: pensaba en voz alta y el pensamiento, aunque no dejaba de estar presente, se hacía invisible, oculto por la palabra que al mismo tiempo delataba su presencia, como esos vidrios tan limpios que no se hacen visibles más que por el reflejo de la luz sobre ellos.

—Tío sabe —dijo el Ladeado, sacudiendo la cabeza.

Entre las orillas, la franja estrecha del río era como una

presencia espléndida, pero sin vida. Ni siquiera parecían tener vida la canoa y su estela, ni el chico de once años que la conducía, a pesar de los movimientos —armónicos en medio de su torpeza— que hacía al hundir y sacar los remos del agua. El Ladeado bufó y resopló, frunciendo los labios y parpadeando fuerte. Su parpadeo tenía vida, pero su vocecita hosca y dubitante tenía menos vida que el canto enloquecido de los pájaros repercutiendo en la orilla a la que se estaba acercando y resonando apagado en la orilla desde la que el Ladeado había salido con la canoa amarilla.

—Tío le va decir a él —dijo el Ladeado.

En la orilla el río tenía algo de vida. La rama del sauce bajo el cual permanecía la canoa verde del tío Layo tocaba la superficie del agua y producía unas arrugas fugaces en la superficie. La sombra del sauce oscurecía el agua; y al chocar contra el costado de la canoa verde del tío Layo la corriente imperceptible se podía percibir en las ondas crespas, delgadas, que se formaban contra la canoa y se iban alejando de ella como repetidas y haciéndose cada vez más lisas a medida que se alejaban. El Ladeado estuvo dando impulso a la canoa con el remo único hasta que la proa chocó contra la orilla y empezó a oscilar con suavidad, como un péndulo, con la proa fija contra la orilla. El Ladeado dejó el remo dentro de la canoa y se inclinó bufando y resoplando, en el punto más alto de su controversia, para recoger la cadena. Si el remo había tenido dos veces su estatura, la cadena tenía tres veces su longitud. El Ladeado saltó de la canoa a la orilla arenosa llevando la cadena y clavó la cuña de hierro cerca del tronco del sauce inclinado hacia el río. La canoa amarilla, a diferencia de la canoa verde que estaba cubierta por la fronda fina del sauce, apenas si aprovechaba una parte de la sombra. El Ladeado fruncía las cejas espesas y los labios oscuros para resoplar, sin oír el canto de los pájaros. Pegó un último tirón a la cadena trayendo la canoa más hacia la orilla y se incorporó, el cuerpito torcido hacia la derecha, la cabeza tiesa y medio inclinada hacia el hombro derecho. De esa manera, el brazo izquierdo parecía más corto. Comenzó a subir por la pendiente suave de la barranca, el costado derecho del cuerpo echado un poco hacia adelante, para mantener mejor el equilibrio. Su sombrita torcida lo precedía. El senderito de arena que se abría en la cima de la barranca, tortuoso y amarillento, conducía a la casa del tío Layo deslizándose entre unos espinillos raquíticos que se agolpaban a sus costados. Las alpargatas rotosas del Ladeado, agrisadas por la pérdida de color, dejaban unas huellas profundas sobre la arena. La controversia decrecía a medida que avanzaba por el sendero de arena y el Ladeado frunció mucho más las cejas negras ahora que la ausencia de la palabra había instalado otra vez el pensamiento en el centro de su mente, haciéndolo visible; cuando dobló la última curva suave del senderito de arena, estuvo por fin frente a la puerta de alambre. En el fondo podía verse el frente del rancho y, más chico, el de la cocina, unida al rancho por el techo angosto de troncos y paja; detrás del rancho asomaban inmóviles y compactas las copas de los árboles más altos que llenaban de sombra el patio trasero. Y por delante del rancho, en el centro del patio delantero, ella, cosiendo junto a la mesa, bajo la sombra del paraíso. El Ladeado abrió con trabajo la puerta de madera y tejido y cerrándola detrás suyo penetró en el patio. Se quedó parado junto a la puerta, mirándola. Permaneció así un momento, sin parpadear; verla sentada bajo el paraíso le había borrado de la mente todo pensamiento. Nada más que ella parecía ser visible: ni el paraíso, ni la mesa, ni el rancho, ni el pensamiento. El Ladeado parpadeó recién cuando ella alzó la cabeza y lo vio.

—Entrá, Agustín —dijo ella.

El Ladeado avanzó. Ella volvió a inclinar la cabeza sobre la costura, sonriendo con una dulzura distraída.

—Buen día —dijo.

—Buen día —dijo el Ladeado.

Ella hilvanaba una franja negra en el borde superior del bolsillo de una camisa del tío Layo. Ella le preguntó por su papá y su mamá.

—Dice el tío Rogelio que tiene unos pescados para ahora el mediodía —dice el Ladeado.

—Tu tío estaba por ir —dijo ella. Suspiró. El Ladeado parpadeó varias veces, mirándola, pero ella no parecía ahora saber que él estaba ahí, parecía no saber ella misma que estaba ahí, que estaba. Estaba en otra parte, no se sabía en dónde.

—¿El tío está? —dijo el Ladeado.

—Está atrás —dijo ella, sin siquiera mirarlo y sin sonreír.

El Ladeado se sentó, apocado. Su cuerpo torcido parecía mucho más torcido todavía en la silla. Ahora que sabía que el tío estaba atrás, y ahora que ella se había ido otra vez, el pensamiento había vuelto a instalarse de nuevo en su lugar, y no estaban más que él, el Ladeado, y el pensamiento. Después oyó los pasos del tío Layo que chasqueaban sobre el piso de tierra y se dio vuelta: el tío Layo venía limpiándose las manos con una hoja de higuera.

—Qué decís, Ladeado —dijo el tío.

—Dice el tío Rogelio que tiene unos pescados para ahora el mediodía, tío. Que vayan con la tía —dijo el Ladeado.

—No le digas Ladeado, pobrecito —dijo ella, sin levantar la cabeza, volviendo de donde estaba—. Se llama Agustín, no Ladeado, pobrecito.

El tío Layo se volvió hacia ella.

—¿Querés que vamos a lo de Rogelio? —dijo.

Ella ni siquiera levantó la cabeza.

—No —dijo—. Hoy no.

El tío Layo suspiró.

—Vamos, Ladeado, vení, vámonos —dijo.

La canoa amarilla va dejando una estela suave detrás suyo, una estela que va ensanchándose a medida que se aleja de la canoa. El filo de la proa corta despacio el agua que parece estar formada por dos capas de materia y textura, y hasta dirección diferentes: una capa tensa, cristalina, una película rígida extendida sobre la superficie, inmóvil, y debajo una turbulenta e informe masa de agua marrón en movimiento espurio y perpetuo.

Los ojos del Ladeado parpadean durante un largo rato, bajo las cejas fruncidas, espesas, y después lo miran fijo y sin parpadear.

—Tío —dice.

Wenceslao sacude la cabeza pero los ojos fijos del Ladeado no lo ven.

—Tío —vuelve a decir—. ¿Le va decir que me mande?

—Seguro que sí —dice Wenceslao.

Están sentados uno frente al otro: Wenceslao, que rema, de espaldas a la dirección que lleva la canoa. Ve por lo tanto, por encima de la cabeza del Ladeado, cómo la orilla de la isla se aleja de ellos, gradual. Los árboles bajo cuya sombra había estado un rato antes recogiendo higos y limones se han convertido en una masa verde que se confunde con la gran mancha verde de la isla. Pero todavía no es una mancha verde sino una maraña intrincada de arbustos y pastos y árboles, con las barrancas de tierra clara yéndose a pique sobre el río y el descenso amarillo de la playa inclinándose hacia el agua.

—Mi papá dice que no —dice el Ladeado—. Dice que no voy a servir para eso ni para tampoco trabajar.

—Él dice nomás —dice Wenceslao—. ¿Acaso no te han mandado buscarme? Has cruzado solo el río con la canoa. Eso es un trabajo.

—Pero mi papá dice que traigo mala suerte —dice el Ladeado—. Dice que nací torcido, y que traigo mala suerte.

—Cosas del borracho de tu padre —se ríe Wenceslao—. ¿De dónde sacó eso?

—Me ve y sacude la cabeza, y se pone a quejarse —dice el Ladeado.

Wenceslao se ríe.

—Qué bruto —dice.

El Ladeado frunce más las cejas y resopla, parpadeando muchas veces al hablar.

—El tío Rogelio dice que le va decir que tiene que mandarme. ¿Usted también le va decir, tío?

—Claro que sí —dice Wenceslao, riéndose.

—¿En serio, tío?

Wenceslao deja de reírse. Mira al Ladeado en la cara.

—Palabra de honor que le voy a decir —dice Wenceslao.

El Ladeado mira cómo uno de los remos amarillos entra y sale del agua. El pensamiento está en él, desnudo, complejo y trabajoso. Estira los labios y muestra los dientes podridos, y después habla sin dejar de mirar el remo amarillo que entra en el agua y sale de ella levantando un tumulto líquido de una transparencia verdosa.

—Tío —dice—. ¿Traigo mala suerte?

—No, querido —dice Wenceslao.

—Dice mi papá que después que yo nací a él le empezó la mala suerte y se puso a tomar vino. Dice que de lástima nomás no me tiró al río.

—Tu viejo es un desgraciado —dice Wenceslao—. Qué te va tirar al río. Lo dice nomás por embromar.

—Dice que lo echaron de la arrocera cuando yo nací. Y que mis hermanas se fueron para la ciudad y se perdieron. Dice que gracias al Chacho y al Segundo la familia va progresar. Si mis hermanas se perdieron, si él me manda, después que yo termine puedo ir a la ciudad y buscarlas. Pero si traigo mala suerte, capaz que me pierdo yo también.

—Ya le vamos a decir a tu papá que te mande así después podés ir a buscar a tus hermanas —dice Wenceslao.

El Ladeado sigue mirando el remo amarillo y parpadea sin parar, con los labios fruncidos. Wenceslao hace avanzar la canoa amarilla que se desliza por la superficie del río sin ningún balanceo. El ruido espeso de los remos cayendo sobre el agua y barriéndola por debajo de la superficie acompaña los pensamientos de Wenceslao. Las manos permanecen agarradas a los puños redondos de los remos, amarillos;

hacen presión hacia abajo y por la madera de los remos pasa una corriente de energía animal que hace surgir las paletas del agua; las manos van hacia atrás del cuerpo, agarradas a los puños amarillos, y los remos avanzan a ras del agua, sin tocarla, hasta que las manos ceden y la corriente de energía animal, suspendida, deja caer los remos al agua, hasta que las manos vuelven a su punto de partida haciendo que la corriente de fuerza animal que han transmitido a los remos amarillos luche bajo la superficie, concentrada en la punta de la paleta, contra la fuerza del agua. De esa manera, la canoa avanza dejando en el agua una estela fina que se ensancha y después desaparece, y alborotando con los remos el agua que forma un penacho verdoso y transparente en la superficie, salpicando el casco amarillo. No se detiene nunca, porque el impulso de la sangre vence por un momento la resistencia del agua y le da tiempo para prepararse de nuevo, mientras la canoa avanza, para dar el próximo envión. A veces pareciera que entre cada palada de los remos no pasa nada, y que la canoa queda inmóvil y suspendida sobre el agua, hasta que la corriente de la sangre la impulsa otra vez sacándola de su perfecta inmovilidad.

Como la llovizna cae desde hace por lo menos una semana el aire, el cielo y el agua son grises relumbrantes, y recortan nítidos en el borde de la playa unos árboles mutilados y negros. La canoa verde deja una estela en el agua gris y las islas que bordean el agua se sumergen como por estratos horizontales y graduales en la masa ondulante de la llovizna. La llovizna es tan leve que ni siquiera perturba la superficie plateada del agua, que vista de cerca revela una turbulencia parda por debajo de esa apariencia de argéntea impasibilidad. Wenceslao rema despacio, manteniendo un ritmo que parece descompuesto en fragmentos, y ella permanece inmóvil y silenciosa sentada enfrente suyo, con una arpillera en la cabeza para defenderse de la lluvia. Desde que dejaron el cajón en el cementerio y se despidieron de todos aquellos hombres que los esperaban respetuosos en la puerta con el sombrero en la mano, vestidos con la ropa más digna y severa que pudieron encontrar —unos pantalones de gambrona, unas zapatillas de goma azules y blancas, nuevas en vez de alpargatas, un saco negro y un pañuelo negro anudado al cuello— y de aquellas mujeres llorosas y graves que la abrazaban y le murmuraban cosas incomprensibles al oído, desde que dejaron atrás el murmullo de las voces en la casa de Rogelio Mesa, ella no ha dicho una sola palabra ni tampoco ha llorado. Se ha limitado a moverse con gestos mecánicos, ausentes, y a dejar que su vestido negro centellee en los contornos de su figura a la argéntea y húmeda luz de julio. Wenceslao, mientras rema, la mira de vez en cuando, preguntándose si alguna vez le perdonará el simple hecho de estar vivo. La canoa verde deja una estela que se ensancha despacio hasta desaparecer, fundiéndose con la pátina tersa y resplandeciente del agua. Inclinándose hacia adelante y echándose otra vez para atrás, hacia adelante y hacia atrás, siguiendo un ritmo preciso, con las piernas abiertas en el piso combo de la canoa, Wenceslao observa por momentos la cara oscura y grave preguntándose qué hará ella, cómo se comportará en la próxima hora, al día siguiente, el año próximo. Cuando él estaba, Wenceslao sabía que ella podía vivir sin pensar en nada, grave y tranquila, levantándose todas las mañanas con la misma naturalidad silenciosa con que se acostaba todas las noches, y que hubiese seguido sin duda haciendo lo mismo si Wenceslao y no él estuviese ahora reposando allá abajo, en el fondo de esa tierra removida penetrada por la llovizna impalpable que forma unos charcos viscosos y grises en los hoyos de la superficie. Ahora no sabe más quién es ella y mira la cara oscura sin alcanzar a reconocerla del todo, con extrañeza. Le parece que los dos han cambiado, de golpe, y que necesitarán mucho tiempo para volver a reconocerse. Wenceslao no sabe todavía que durante años se va a dejar vencer por el influjo de la muerte y que va a pasarse las horas del día sentado bajo el paraíso mirando fijo el vacío, mientras su campo se llena de plantas venenosas y de víboras y los travesaños del techo se pudren en tanto que ella se pasea silenciosa por la casa, dirigiéndole apenas la palabra, depositaria y estímulo de la muerte. Durante años la muerte va a reinar sobre él a partir de esa semana de llovizna ardua y helada, hasta que una mañana de octubre se levantará y verá la tierra que ha trabajado con sus manos durante toda su vida y sentirá que la costumbre del trabajo se apodera otra vez de su cuerpo ocioso y sucio, y empezará a limpiar el terreno, matando las víboras y cambiando las vigas del techo y curando los árboles de plagas y de enfermedades y arrancando las plantas venenosas. Pero ahora que la canoa verde atraviesa el río gris, el influjo de la muerte apenas si acaba de comenzar. Inclinándose hacia adelante, echándose para atrás, mira la cara de ella, aproximándose y alejándose y sabe que detrás, en la mente, la muerte es dueña y señora. La canoa verde es seguida por su reflejo: la imagen invertida y chata de su propia estructura alargada. Los bordes de la embarcación chorrean agua y la pintura verde brilla como si hubiese estado protegida por una pátina de laca. Los remos salen del agua tan silenciosos como han entrado. La canoa se mueve con una lentitud tan vacilante, que más pareciera que es el borde de la isla, carcomido por los embates continuos del agua y cruzado por los sauces evanescentes y negros que se inclinan sobre el río, lo que se desplaza acercándose mediante enviones sordos y parejos hacia la embarcación. Las dos orillas, compactas, ciñen la superficie del río, como un espejo que calzara justo en un marco verde para reflejar un cielo bajo, liso y gris, lleno de destellos húmedos. Por fin, canoa y costa se tocan, a la altura de los sauces inclinados sobre el agua, y Wenceslao, poniéndose de pie, hace unas maniobras finales con los remos y los deja caer dentro de la canoa. Salta a tierra y ata la canoa al tronco de uno de los sauces. Espera parado junto a la canoa, pisando el suelo arenoso apretado por el agua y ella se levanta y salta a tierra sin tocar el brazo que Wenceslao ha extendido para ayudarla a saltar.

43

Ella se dirige a la casa y Wenceslao la sigue despacio, viéndola a través del agua gris que cae con lentitud fría manchando la tierra y los árboles cuyos troncos negros y tortuosos chorrean agua. Aunque son apenas las cuatro de la tarde Wenceslao sabe que dentro de poco oscurecerá y que el interior de la casa ya debe estar oscuro y que va a ser necesario encender un farol. Su deseo es echarse a dormir, en seguida, sin siquiera secarse la ropa mojada, las botas de goma llenas de barro, sin siquiera secarse y calentarse las manos y la cara helada por el golpeteo continuo de la llovizna metálica. El paraíso mutilado, cuyos muñones negros acaban en lisos redondeles amarillentos, no protege la mesa mojada; el patio está lleno de las pisadas de la gente que ha estado en el velorio desde la tarde anterior. Ella pasa al lado del paraíso y la mesa dejando huellas nuevas con sus zapatos negros, sobre las deformes huellas entreveradas del patio. Los perros no salen ni a recibirlos. Deben estar vagando por la isla, junto con los caballos que Wenceslao ha soltado el día anterior. Tres días más tarde sabrá que uno de los caballos ha metido la pata en un pozo y se la ha quebrado, rodando por el suelo y quedando echado en la maleza, loco de dolor, mientras que por entre los dientes blancos le fluyen olas de espuma azul. Morirá solo y Wenceslao lo encontrará al tercer día, rodeado por los perros que lo han mirado agonizar sentados sobre sus cuartos traseros. Wenceslao ni lo lamentará. Durante semanas, el olor de la muerte llegará hasta el rancho en hálitos periódicos, y de noche se escuchará un rumor que es el de la muerte. Los perros despedazarán el cadáver con mordiscos secos y trabajosos y se irán volviendo cimarrones, día tras día, hasta que vagarán por la isla con el pelo enredado y sucio, los ojos amarillos y húmedos brillando feroces y una espuma de muerte flotándoles alrededor de la lengua rosada. Pero Wenceslao no percibirá nada de eso, en su extrañeza: durante semanas, meses, años, se estará sentado a la puerta del rancho, o al lado de la mesa bajo el paraíso, preguntándose a cada momento qué es esa isla, qué son

44

los árboles, quién es esa mujer que vive silenciosa bajo su mismo techo y que no habla más que cuando está sola, envuelta en esos sempiternos batones negros que a la vuelta de los días se ponen más y más descoloridos. La mirada rebotará como ciega por el lugar familiar, de golpe desconocido; se quedará horas sentado en una silla baja medio desfondada, el mate frío sobre la tapa invertida de la pava puesta en el suelo, entre los pies calzados con alpargatas rotosas, mirando fijo, con los ojos muy abiertos, sin pestañear, un punto del vacío, sacudiendo de vez en cuando la cabeza de un modo débil. Los perros se asomarán a veces entre la maleza que llenará los patios, mirando a Wenceslao con sus ojos torvos, amarillos, alimentados de muerte y regresión y acabarán comiéndose entre ellos en los pantanos de la isla.

Las botas embarradas de Wenceslao imprimen sus huellas sobre las que ella acaba de dejar, mientras atraviesa el patio hacia la puerta de madera del rancho. Ella está sacándose la arpillera de la cabeza cuando Wenceslao llega junto a la puerta del rancho y abre el candado, empujando la hoja que al abrirse deja ver la penumbra del interior. Wenceslao le da paso y el vestido negro relumbra por última vez a la luz metálica del día gris antes de volverse opaco, sumergiéndose en la penumbra fría del interior y desapareciendo en ella. Wenceslao entra a su vez y cierra la puerta, y en la penumbra busca el farol y lo enciende. La luz primero vacila, rojiza, echando un humo negro, pringoso, tiembla; después la llama crece de un modo desmedido, superfluo, y Wenceslao la regula con la llave redonda y niquelada hasta que la llama se pone sólida, firme y blanca, con destellos verdosos intermitentes, expandiendo, en el recinto sombrío, una esfera pálida de claridad manchada por la enorme sombra de Wenceslao que se proyecta sobre la pared y parte del techo. Cuando atraviesa la cortina de cretona en el extremo del tabique que separa el "comedor" del dormitorio, la cortina que queda sacudiéndose y temblando durante un momento, ve en la penumbra fría que ella se ha sentado en el borde de la cama, el dorso de una mano en la palma de la otra sobre la falda, el vestido negro evanescido en la creciente oscuridad.

—¿Vas acostarte? —dice Wenceslao.

—Sí —dice ella, sin mirarlo.

Por primera vez en años, Wenceslao no sabe cómo tratarla. Ya es demasiado viejo como para que pueda volver a aprenderlo alguna vez. La muerte ha servido para demostrar, primero de todo, que ellos, a pesar del conocimiento ocasional, y del afecto ocasional, y de las cópulas ocasionales mediante las cuales procrearon, no dejaron nunca de ser desconocidos. Wenceslao no sabe qué otra cosa decir y sale, atraviesa otra vez, después de atravesar otra vez la cortina de cretona descolorida que no ha dejado de sacudirse del todo y que al volver a pasar Wenceslao se sacude con un tumulto otra vez violento, la esfera de claridad pálida proyectando su sombra en la pared y en el techo, y se asoma a la puerta. El agua, fina y fría, lava incansable el tronco negro del paraíso, que destella. Los árboles de la isla, que nadie plantó nunca, más allá del alambrado, agolpados en los bordes del patio delantero limpio de pasto, espinillos y timbós, aromitos y sauces llorones y laureles, algarrobos, en distinto grado de desnudez y verdor, manchan el aire con sus ramas grises, casi transparentes, o sus frondas perennes de un verde pálido y terroso. El agua fina envuelve todo en una especie de paradójica claridad. El cielo casi que ni puede mirarse porque relumbra, argénteo, cóncavo. Wenceslao piensa en la tierra removida, mojada, y en él abajo, solo, apretado, como una cuña afilada que hubiese penetrado la masa compacta de la tierra y sobre la que la tierra se hubiese cerrado otra vez dejándolo adentro, en una caverna tan reducida que en ella no hay lugar más que para él solo. Se queda largo rato indeciso en el hueco de la puerta mirando el sendero de arena que baja hacia el río invisible. La lluvia endurece la arena, la vuelve férrea y llameante. Después se sienta a la mesa del comedor, en medio de la esfera de claridad, y apoya la mejilla en la palma de la mano, hasta que es noche cerrada y los perros, en los pantanos, echando espuma y husmeándose con ferocidad unos a otros, comienzan a aullar. La sombra de Wenceslao se sacude de vez en cuando, enorme, en la pared y en el techo.

Amanece y ya está con los ojos abiertos

Se ha levantado y se ha vestido y ha estado tomando mate y conversando un momento con ella bajo el paraíso y después ha ido hasta el fondo a recoger limones y brevas para la familia de Rogelio Mesa y ha cruzado el río en la canoa amarilla con el Ladeado y ahora salta a la orilla con la cadena en la mano y se inclina para clavar la estaca en la arena húmeda.

El Ladeado le alcanza la canasta y después lo sigue a tierra dando un salto lento y trabajoso, calculado con minucia, desde el borde de la canoa, doblando las rodillas al caer sobre la tierra arenosa. Wenceslao camina balanceando la canasta, seguido por el chico; por entre los árboles se divisa el rancho de Rogelio y avanzan hacia él por un caminito estrecho abierto entre el pasto, la maleza y los árboles. El camino desemboca en un claro que deja ver el solar entero, por su parte trasera, y a Rogelio en el momento de golpear con el filo de un cuchillo la cabeza de un gran surubí. El sol se cuela por entre las hojas de la parra y mancha de luz y sombra la camisa de Rogelio.

—Párese y entregue —dice Wenceslao, deteniéndose y echándose a reír.

El Ladeado se detiene a su vez, mirando a Rogelio.

Rogelio deja el cuchillo sobre la mesa y se da vuelta.

—Quieto nomás —dice.

Al moverse, el dibujo complicado de sombra y luz que la parra proyecta sobre su cuerpo hace como si también se moviera pero queda inmóvil; Wenceslao deja el canasto sobre la mesa, junto al gran surubí, y después que Rogelio se limpia las manos con un trapo sucio se dan las manos. El Ladeado los contempla desde la distancia.

—Ahí manda ella esas brevas y unos limones para Rosa —dice Wenceslao, señalando con la cabeza la canasta. Rogelio la mira, la saca de sobre la mesa y la pone en el suelo, fuera del paso.

—¿Y ella? —dice.

—No, ella no viene —dice Wenceslao.

Todo el lugar y la mesa y los hombres, salvo el Ladeado, que mira desde pleno sol, a distancia, guiñando los ojos, caen bajo el dibujo de luz y sombra que proyecta la parra, cuyo trabajoso diseño negro de hojas, ramas y racimos se parece a un tejido arcaico. Las camisas descoloridas y los pantalones descoloridos y los sombreros de paja de Wenceslao y Rogelio se parecen, pero no se parecen entre sí los cuerpos mismos ya que Rogelio le lleva a Wenceslao un poco más de una cabeza y debe pesar más de cien kilos; tiene un bigote negro y representa menos edad que Wenceslao. No sopla viento, y las voces han resonado disgregándose después hacia lo alto, chocando contra la luz solar expandida sobre el claro donde quedan todavía los grumos secos de la regada de la tarde anterior pisoteados ahora por el cuerpo frágil del Ladeado que avanza hacia sus tíos.

—Muy bien, Ladeado. Te portaste —dice Rogelio.

Saca tres brevas de debajo del colchón de hojas verdes y reparte una para cada uno. Comienzan a pelarlas.

—No tire las cáscaras al suelo —le dice Rogelio al Ladeado.

—No las tiro —dice el Ladeado.

—Se ha portado —dice Wenceslao.

—Ahora hay que agarrarlo al padre y darle una paliza si no lo quiere mandar el año que viene —dice Rogelio.

—Vamos a meterlo en una bolsa y vamos a tirarlo al agua si no quiere —dice Wenceslao.

El Ladeado los mira, incrédulo. Va de un rostro al otro a medida que los oye hablar, y fija en ellos su mirada trabajosa, su larga mirada ahora sin guiños ni parpadeos agrandada por la presión de la mente.

48

—Ahora vas a decirle a tu mamá que se vengan todos a casa desde el mediodía —dice Rogelio.

El Ladeado no se mueve ni dice nada.

—¿Y Rosa? ¿Y los viejos? —dice Wenceslao.

—Han de estar adelante —dice Rogelio. Después se dirige otra vez al Ladeado—: ¿Vas a ir? —le dice.

El Ladeado gira y se aleja, desapareciendo en dirección a la parte delantera de la casa.

—Pobrecito —dice Rogelio.

Se da vuelta y agarra otra vez el cuchillo y sigue golpeando al pescado para descabezarlo. Es un surubí enorme. Wenceslao lo contempla y ve caer una y otra vez el brazo de Rogelio hacia el pescado y golpear el filo del cuchillo produciendo un sonido seco y una miríada de astillas de carne triturada que salpican la mesa. Cuando Rogelio introduce de punta el cuchillo en la carne y presiona con el borde sin filo de la hoja contra el hueso para quebrarlo, Wenceslao comienza a seguir con sus propios gestos de esfuerzo —los dientes apretados y la boca entreabierta y un ligero movimiento de la cabeza hacia un costado y hacia arriba— los largos movimientos de fuerza y tensión de Rogelio, hasta que el hueso cede y se quiebra y Rogelio retira el cuchillo jadeando, dándose vuelta hacia Wenceslao.

—Cuesta —dice.

Deja el cuchillo y separa de un tirón la cabeza del resto del cuerpo. La mesa está manchada de sangre y llena de esquirlas de carne adheridas a la superficie de madera. Rogelio se seca la frente con el dorso de la mano, recoge otra vez el cuchillo y comienza a dividir el pescado en postas; cada vez que el cuchillo atraviesa la carne y llega al espinazo, el rostro de Rogelio adopta la misma expresión tensa, y desde el interior del cuerpo despedazado suena la quebradura seca del hueso. Wenceslao ha cruzado los brazos sobre el pecho y contempla el trabajo con los ojos muy abiertos, abstraído, como si estuviera mirando no un pescado muerto y un brazo cayendo sobre él con un cuchillo y despedazándolo, sino el fuego de una hoguera. Como no sopla ningún viento y está parado inmóvil a un costado de la mesa la luz que perfora la parra cae sobre su cuerpo del mismo modo que sobre el corredor trasero del rancho y de todas las cosas que están en él: el banco y la mesa, el cuerpo alto de Rogelio inclinado hacia el cuerpo del pescado que ya no es más que una tajada demasiado ancha que Rogelio divide en dos y arroja a la fuente de loza blanca llena de cachaduras en la que están los otros pedazos.

—Esto ya está —dice Rogelio, dejando otra vez el cuchillo sobre la mesa.

—¿Vas a freírlo? —dice Wenceslao.

—Rosa —dice Rogelio—. ¿Así que no quiso venir tampoco este año?

—No —dice Wenceslao—. No quiso.

—Está mal de la cabeza —dice Rogelio—. ¿Hasta cuándo va a llevar luto?

Habla rápido y bajo, aunque su voz es chillona; a pesar de la gravedad de su tono, en medio de las frases se le escapan unos matices agudos que vuelven por un momento pueriles las cosas que dice, hasta que recupera otra vez la gravedad. Wenceslao no contesta; sacude la cabeza sin querer significar nada con eso y palpa el bolsillo de su camisa en busca de cigarrillos; saca el paquete de "Colmena" y le ofrece uno a Rogelio, que lo rechaza moviendo la cabeza; Wenceslao saca un cigarrillo, lo cuelga de sus labios y después vuelve a guardar el paquete en el bolsillo de la camisa, sacando la caja de fósforos. Enciende el fósforo y arrima la llama a la punta del cigarrillo que se enciende con una crepitación minúscula, y después sopla la llama del fósforo hasta apagarla, devolviendo al mismo tiempo un gran chorro de humo gris que atraviesa las perforaciones de luz y va disgregándose lento y visible, en capas, niveles, columnas y volutas retorcidas entre los rayos solares. En las zonas de sombra es menos visible, flotando en el espacio que separa a Wenceslao de Rogelio. Detrás de Rogelio están la mesa y la pared trasera del rancho, de adobe blanqueado, lisa y ciega, sin una sola abertura, y sobre la mesa la carne muerta y despedazada.

—Vamos adelante —dice Rogelio.

Wenceslao lo sigue. Todo el espacio rectangular que rodea al rancho está bordeado de paraísos; dan la vuelta y comienzan a caminar a lo largo de la pared lateral blanqueada, hacia la parte delantera, pasando junto a un horno de barro, también blanqueado, y Rogelio se detiene junto a la bomba de agua antes de llegar al frente de la casa. Wenceslao sigue caminando y llega a la parte delantera. Allí hay dos paraísos enormes y una mesa larguísima. A la mesa están sentados el viejo y la vieja, uno frente a otro, en sillas de paja. Justo en el momento en que llega al patio delantero y los ve, Wenceslao comienza a oír el ruido de la bomba y el chorro de agua.

—Buen día —dice Wenceslao.

—Layo, hijo —dice la vieja.

—Buen día —dice el viejo.

—Hijo —dice la vieja.

Hay una pava y una yerbera de madera sobre la mesa. El viejo tiene un mate en la mano y chupa de él: la bombilla se sumerge entre los espesos bigotes blancos que le cubren el labio superior. Termina el mate y lo llena de nuevo, ofreciéndoselo a Wenceslao. Wenceslao lo agarra y comienza a chuparlo. Como ninguno de los tres dice palabra, se oye todavía con más claridad el chorro de agua y el golpeteo de la bomba, a la vuelta, cerca de la pared lateral. La vieja permanece sentada con las manos cruzadas en la falda, la cara llena de arrugas y los dientes comidos, rígida y derecha como una estatua, mirando algo por encima de la cabeza blanca de su marido, que es menos corpulento que ella y sacude lento y constante la cabeza como si estuviese discutiendo algo consigo mismo, en silencio y por dentro. El viejo sostiene la pava con una mano flaca y huesuda, cuya piel áspera está llena de estrías y manchas, demasiado abundante para la carne y los huesos que tiene que proteger, de modo que se llena de frunces por todos lados.

—¿Cómo está tu mujer, Wenceslao? —dice por fin.

—Bien —dice Wenceslao.

La mesa se extiende entre los dos paraísos que son tan amplios y altos que sus ramas protegen del sol, además del lugar en el que se halla la mesa, gran parte del techo y el frente del rancho más grande (hay otro, chico, también blanqueado, al costado del grande, del lado opuesto al que Rogelio y Wenceslao recorrieron viniendo desde el fondo), y por el otro lado, sobre el sendero de arena que sale, amarillo y tortuoso, desde la puerta de tejido y se pierde en el campo. Los paraísos están a cinco o seis metros uno del otro, alzados paralelos a la casa, de modo que la mesa es perpendicular al frente del rancho. La mesa, los viejos, Wenceslao, parte del rancho y de la tierra, están en el interior de una esfera de sombra que los envuelve y los protege como un limbo de la luz solar, manteniéndolos tranquilos en una zona en la que parece no haber más que silencio, aunque se oigan voces y ruidos, como si no se oyese más que el sentido de las voces y de los ruidos, pero no los sonidos propiamente dichos, y los sonidos del exterior de la esfera (el chorro de agua, el golpeteo de la bomba) resonaran fuera y pudieran oírse, nítidos y compactos.

La voz del viejo es aguda, rápida.

—Hace mal en quedarse siempre en las casas, siempre en las casas —dice—. Tenés que convencerla y hacerla salir.

—Sí, hijo, sí, tiene que salir y ver a la gente —dice la vieja.

—Siempre se lo digo —dice Wenceslao—. Pero no me hace caso. Dice que está de luto.

Ahora es la vieja la que sacude la cabeza, abriendo la boca y mostrando sus dientes comidos; el viejo permanece inmóvil. Parecen ignorarse, uno al otro, pero sin furia ni irritación: más bien como si la larga convivencia los hubiese ido cerrando tanto a cada uno en sí mismo que ponen al otro en completo olvido y si casi siempre dicen los dos lo mismo no es porque se influyan mutuamente sino porque reflexionan los dos por separado a partir del mismo estímulo y llegan a la misma conclusión. Wenceslao le devuelve el mate al viejo y observa cómo el viejo comienza a cebarlo de nuevo, con pulso firme pero con gran lentitud. En ese momento —el chorro de agua y la bomba han dejado de oírse hace un momento pero eso se advierte con la aparición de Rogelio— aparece Rogelio peinándose mientras camina hacia la mesa. Rosa sale también por la puerta del rancho más grande. Tiene un vestido de algodón estampado en unas diminutas flores amarillas y azules contra un fondo blanco. Wenceslao se ha vuelto apenas hacia ambos al oír el ruido de la puerta al abrirse y el de los pasos, así que ahora da la espalda a los viejos y encara al hombre y a la mujer que se acercan sonriendo; Rosa lo saluda.

—Traje unos limones y unas brevas que te manda —dice Wenceslao—. Ella no va venir.

—¿Este año tampoco? —la piel oscura de la cara de Rosa se arruga, en especial en la frente y alrededor de la boca—. ¿Va seguir de luto todavía? Mi hermana está loca.

Rogelio termina de peinarse, con movimientos rápidos, y deja el peine sobre la mesa. Wenceslao se da vuelta otra vez, cuando Rosa y Rogelio llegan a la mesa, y ve cómo el viejo hunde la punta de la bombilla entre los bigotes blancos y espesos y chupa. La cara reconcentrada y blanca del viejo enflaquece y se reconcentra más a cada chupada. La vieja está inmóvil otra vez.

—Les agarra la locura y son caprichosas —dice el viejo, suspendiendo la succión durante un momento, alzando apenas la cabeza y sin mirar a nadie en particular—. Se les pone una cosa en la cabeza y nadie se la puede sacar. Son cabeza dura.

Hace silencio y sigue chupando la bombilla.

—Déme un mate después, papá —dice Rogelio.

—¿Cortaste el pescado? —dice Rosa.

—Sí —dice Rogelio.

—Hay que ir hasta el almacén y traer algunas cosas —dice Rosa.

—¿Dónde está Rogelio? —dice Rogelio.

—Salió —dice Rosa. Wenceslao se recuesta contra el tronco de uno de los dos paraísos. Apoya el hombro en él y siente la corteza áspera y llena de hendiduras y resquebrajaduras contra la parte superior de su brazo, encima de la camisa. El viejo ceba otro mate y se lo entrega a Rogelio.

—Si Teresa no viene ayudarme con la comida no voy a terminar para el mediodía —dice Rosa.

—Yo te ayudo, hija —dice la vieja.

—Usted descanse —dice Rosa. Se da vuelta hacia Rogelio—. Pasá por lo de Agustín y decile a Teresa que venga o que me mande la Teresita por lo menos.

—Son caprichosas. No hay forma de hacerles ver la razón —dice el viejo.

Rogelio mira rápido a Wenceslao y emite una sonrisa fugaz a la que Wenceslao responde con un guiño; después Rogelio termina el mate y se lo devuelve al viejo. El viejo empieza a llenarlo otra vez.

—Ahora pasamos con Wenceslao por lo de Agustín y después vamos al almacén.

—Para el Layo —dice el viejo, extendiendo el brazo con el mate. Wenceslao se acerca y lo agarra y después vuelve a apoyar el hombro contra el tronco del árbol. Están todos en el interior de la esfera de sombra pero rodeados por una esfera todavía más grande de luz matinal, cuya caída en declive lento está empezando a recalentar la tierra que no ha tenido tiempo durante la noche de enfriarse del todo después de la resolana del día anterior. El sol subirá y subirá hasta el mediodía para caer vertical buscando el centro de las cosas, borrando durante una fracción de segundo las sombras, y después empezará a declinar no sin antes llevar por el aire la imagen turbia y ondulante de ríos y esteros y creando en el camino de asfalto que lleva a la ciudad espejismos de agua. Wenceslao chupa el mate en silencio, mirando a sus parientes y sintiendo de un modo cada vez más vago la presión de la superficie áspera del árbol contra el hombro, por encima de la camisa. Si gira un poco la cabeza hacia la izquierda, desde donde está parado puede ver el camino: es una franja irregular y amarilla, ancha y bordeada de verde que se pierde en línea recta en un horizonte de árboles. En este momento está vacía. Al volver la cabeza en dirección opuesta, hacia la casa, Wenceslao vislumbra ya los primeros destellos cegadores del sol contra el adobe blanqueado de las paredes.

—Va hacer calor —dice.

Se saca el sombrero de paja y se lo vuelve a poner, calándoselo despacio y con cuidado. Acaba con el mate y se lo entrega al viejo.

—Gracias, viejo —dice.

El viejo recibe el mate pero no lo vuelve a llenar; lo conserva vacío en la mano y mantiene la cabeza erguida y los ojos entrecerrados, en actitud pensativa. También la vieja, sentada enfrente de él, ha quedado inmóvil otra vez con las manos sobre la superficie gris de la mesa, las manos que emergen de las mangas azules de su viejo vestido descolorido. Wenceslao los abarca con la mirada y percibe sin advertirlo el contraste de su rígida inmovilidad con los movimientos rápidos de Rogelio secándose las manos en el pantalón y el giro brusco de Rosa en dirección a la casa. Al avanzar hacia la casa, Rosa pasa por un hueco circular de luz —el único— que se cuela por entre la fronda de los árboles y choca contra ella produciendo un rápido reflejo para recuperar después su inmovilidad sobre el suelo cuando Rosa termina de pasar y entra en la casa.

—Ya vengo —dice Rogelio, y sigue a Rosa hacia la casa, desapareciendo en ella. La puerta de madera queda entreabierta y sobre la pared blanca se ve la franja lisa y vertical de oscuridad que sale del interior. Rogelio emergerá de ella y vendrá en dirección a la mesa y le dirá "Vamos" y abrirán la puerta de tejido, caminarán un trecho por el camino de arena y después tomarán el sendero que corta el campo en diagonal en dirección al rancho de Agustín y después al almacén. Pasarán por el montecito, por el claro cuadrangular sin un solo árbol, siempre por el sendero que es tan estrecho que los obligará a ir en fila india hasta la casa de Agustín. Le dirán a Teresa que venga o que mande a la Teresita si es que ella no puede venir, y seguirán después hacia el almacén pasando por la larga hilera horizontal de ranchos construidos en el claro, donde no hay un solo árbol que dé sombra. Entrarán en el almacén y tomarán un amargo o una cerveza y Rogelio hará compras. Al entrar en el almacén, percibirán el cambio, después de haber caminado más de media hora bajo el sol: de la luz a la sombra, del calor a la frescura, del olor a luz solar y a pasto y arena al olor de la creolina con que han regado el piso de ladrillos, y a yerba y a queso fuerte.

Sale Rosa y lo llama.

—Layo —dice.

Wenceslao va hacia ella y entra en el rancho. Rogelio espera en el interior, con el sombrero puesto.

—Voy a buscarla —dice Rosa.

—Igual no va venir —dice Wenceslao.

—Podemos agarrar la canoa y cuando venga Teresa ir los cuatro y buscarla —dice Rogelio.

—Vayan si quieren, pero no va venir —dice Wenceslao.

—¿No va venir si van sus hermanas a buscarla, el año nuevo? —dice Rosa.

—Ustedes vayan si quieren —dice Wenceslao—, pero yo la conozco y no va venir.

—Que no venga entonces si no quiere —dice Rosa.

—Ella sabrá —dice Rogelio.

Rosa sale.

—Vamos a lo de Teresa —dice Rogelio.

Salen; primero Rogelio y detrás de él Wenceslao. El viejo y la vieja siguen sentados inmóviles, en la esfera de sombra, uno frente al otro con la larguísima mesa gris entremedio, y Wenceslao ve cómo Rogelio turba al pasar el hueco de luz y lo llena por un momento con su cuerpo y después con su sombra y después siente el calor fugaz de la luz al pasar él mismo a través del hueco.

—Hasta luego, papá. Hasta luego, mamá —dice Rogelio.

—Hasta luego —dice Wenceslao.

—Son así, todas son así —dice el viejo.

La vieja ni saluda. Salen de la esfera de sombra y entran en la del sol, amplísima, que la abarca. Sus sombras los preceden, la de Wenceslao rozando los talones de Rogelio y la de Rogelio adelante, sola, estrecha, en reducción lenta. Junto a la puerta de alambre se detienen y Rogelio la abre y salen y después que la vuelve a cerrar siguen caminando a la par con pasos largos pero lentos debido a que sus pies se hunden en la arena dejando huellas profundas. Al sol el calor castiga mucho más. Van caminando sin hablar, separados uno del otro pero a la par, con ritmo análogo, mientras las sombras se quiebran y se rehacen locas pero rígidas sobre la superficie arenosa llena de pozos y de turgencias que se deshacen bajo la presión de los cuerpos. A cien metros de la casa doblan a la derecha, hacia un montecito de espinillos atravesado por un sendero angosto, blanco, flanqueado por pastos verdes y unos yuyos de un verde agrisado y terroso que crecen en matorrales entre los árboles. El montecito está lleno de pájaros. Wenceslao queda otra vez atrás pero ahora su sombra no roza los talones de Rogelio porque las sombras van a los costados de los cuerpos, sobre el pasto y los yuyos polvorientos, paralelas, ágiles. Wenceslao ve la espalda firme de Rogelio y el sombrero de paja que se mantiene en equilibrio rígido sobre su cabeza y cómo la nuca de Rogelio comienza a enrojecer y a brillar húmeda en las proximidades del cuello. Aparte del canto de los pájaros no se oyen más que los chasquidos de las alpargatas contra la tierra dura y un tintineo de monedas en el bolsillo del pantalón de Rogelio. Wenceslao siente que su frente comienza a sudar y se pasa el dorso de la mano por ella: ahora estará sentada bajo el paraíso, sentada bajo el paraíso, cosiendo todavía, o habrá entrado al rancho o a la cocina, o estará parada cerca de la mesa, sola, con su vestido negro descolorido, o sentada bajo el paraíso, tranquila y sola, ensimismada en la memoria de un muerto. En el montecito de espinillos los pájaros cantan y vuelan de árbol en árbol o alrededor de un mismo árbol, saliendo bruscos de entre las ramas al aire y volviendo a sumergirse en ellas con la misma rapidez. Después de casi trescientos metros el montecito termina y desembocan en un gran claro cuadrangular de pasto verde sobre el que cae el sol a pique y en el que no se ve un solo árbol: lo único que rompe la monotonía verde del claro es el senderito que lo cruza en diagonal y desaparece entre el pasto y los matorrales. Comienzan a atravesar el claro en diagonal, por el sendero ahora recto que no les permite avanzar más que en fila india y ahora sus sombras se han corrido ligeramente hacia atrás, dado el pequeño viraje hacia la izquierda que han hecho para cruzar el campo. El sendero, que desde lejos parecía borrarse y desaparecer, no hace más que internarse con firmeza frágil por entre matorrales y yuyos y emerger una y otra vez blanco y duro bajo los pies de Rogelio y Wenceslao, que ya buscan por hábito los trechos menos accidentados. El sol sube: ahora Wenceslao siente un ardor atenuado y difuso que cambia de intensidad en cada una de las partes de su cuerpo: es más violento en la cara que en las partes cubiertas por la camisa o el pantalón. No han cruzado una sola palabra en todo el trayecto; de un modo gradual, Rogelio comienza a jadear. Su cuerpo enorme se bambolea a cada paso. En este momento, la porción de sendero por la que ellos han pasado, a través del montecito, está vacía; y el sendero en diagonal que cruza el claro cuadrangular va quedando vacío también a medida que ellos avanzan. Después lo recorrerán en sentido inverso y lo irán llenando otra vez y lo irán dejando vacío otra vez hasta que lleguen por fin a la casa y esté completamente vacío; pero antes lo llenarán Teresa o la Teresita: lo irán llenando a medida que avancen por el sendero y lo irán dejando vacío hasta que esté por fin completamente vacío.

Dejan atrás el claro y desembocan en un ancho arenal rodeado de árboles y maleza que cercan y casi cubren un rancho precario hecho de lata y madera y paja y barro, las paredes apuntaladas por unos troncos vastos. No se ve a nadie. Se aproximan a la construcción.

—Agustín —llama Rogelio.

El Ladeado aparece de golpe, desde detrás del rancho.

—Mi papá fue al almacén, tío —dice.

—¿Y Teresa? —dice Rogelio.

Una mujer rotosa y sucia sale del rancho. Es flaquísima y está descalza.

—Buen día —dice.

—Qué decís, Teresa —dice Rogelio—. Manda decir tu hermana si no podés ir ayudarla con la comida para ahora el mediodía. Y si no que mandés a la Teresita.

—Voy, cómo no —dice.

—¿Y Agustín? —dice Wenceslao.

—Ha de estar en el boliche —dice Teresa—. Recién salió.

Una chica de unos doce años, flaca como su madre e idéntica a ella, tan rotosa, sucia, flaca, negra y seria como ella, sale del interior del rancho y se para junto a su madre, sin decir palabra. La mujer la mira.

—Salude a los tíos —dice.

—Buen día —dice la chica.

—Cómo te va, Teresita —dice Wenceslao.

Rogelio le pasa la mano por la cara. El Ladeado mira al grupo desde lejos, con atención intensa y cuidadosa.

—¿Los muchachos están en el criadero? —pregunta Rogelio.

—Sí —dice Teresa.

—Hay que avisarles que vayan a comer a casa también —dice Rogelio.

Aunque hablan con la mujer y sonríen a las criaturas, Rogelio y Wenceslao parecen mantenerse a distancia. La construcción precaria del rancho está casi ahogada de maleza y rodeada de suciedad. Un perro de policía, enorme, flaco, sucio y serio como la mujer y la nena, los mira de entre los matorrales. A dos metros de la entrada del rancho hay un montón de basura. El perro sale de entre la maleza y empieza a escarbar la basura, volviendo de vez en cuando la cabeza hacia el grupo con aprensión y resentimiento.

—Nosotros le avisamos a Agustín porque ahora vamos para el almacén —dice Rogelio—. Mandá al chico al criadero para que le diga a los muchachos.

—Bueno —dice la mujer.

—Han de ser ya las diez —dice Rogelio.

—En seguida voy —dice la mujer—. En seguidita.

Dejan atrás también el rancho y ahora caminan a la par por el arenal rodeado de árboles; hay algarrobos y espinillos y curupíes y también paraísos. La luz del sol atraviesa sus copas. Wenceslao mira el cielo y ve el sol, pero desvía rápido la mirada porque el disco incandescente destella arduo y amarillo. A mediodía estará en lo alto del cielo, porque sube despacio, sometiendo a las sombras a una reducción lenta; por un momento permanecerá inmóvil en lo alto, el disco al rojo blanco y lleno de destellos paralelo a la tierra y sus rayos verticales chocando contra las cosas, penetrando con incisión sorda la materia que cambia en reposo aparente; la luz llevará por el aire el reflejo de los ríos y de los esteros y lo proyectará sobre el camino de asfalto que corre liso hacia la ciudad creando ante los ojos de los viajeros espejismos de agua.

Entre silencios intermitentes las voces resonaban agudas y rápidas, pueriles, elevándose por encima de las cabezas ensombreradas o desnudas, enredándose y repercutiendo en la fronda fría de los paraísos y de los algarrobos plantados en semicírculo en el patio delantero del almacén. Los caballos atados a los árboles permanecían quietos, bajo la sombra, sin una mata de pasto para tascar, sacudiendo de vez en cuando la cabeza para espantar las moscas monótonas que les zumbaban alrededor.

Salas el músico levantó el vaso de cerveza y se mandó un trago.

—No ha sido la peor —dijo.

—La peor ha sido la del sesenta te digo —dijo el otro Salas.

No eran ni parientes lejanos, pero se parecían tanto uno al otro que eso en el fondo los irritaba y siempre los hacía discutir. Tenían el mismo bigote negro, el mismo pelo oscuro, la misma nariz afilada, los mismos pómulos salientes por encima de las mejillas hundidas y la misma piel tostada y endurecida por años de intemperie. Los otros tres los contemplaban.

—Qué va ser —dijo Salas el músico—. La peor fue la del cinco, que no la vio ni vos ni ninguno de los que están aquí presentes. El finado mi abuelo me sabía contar que una noche se acostó con el agua a una cuadra y que amaneció inundado.

—¿Y la del sesenta, que se llevó terraplén y todo? —dijo el otro Salas, mirando a los tres oyentes con los ojos muy abiertos, para ganárselos a su favor.

—Todo esto que se ve ahora, en la del cinco era agua —dijo Salas el músico, abarcando con un ademán vago todo lo que los rodeaba. Pareció dotar de vaguedad a su ademán de un modo deliberado, como si esa vaguedad diese un aire más preciso de inconmensurabilidad a lo que estaba señalando.

—Yo he visto con mis propios ojos las lanchas que iban de Helvecia a la ciudad navegando por donde antes había estado el terraplén —dijo el otro Salas.

—Qué lo parió —dijo con admiración reflexiva el más joven de los tres que escuchaban. Tenía una camisa colorada y una cara seria y angulosa y era el dueño de la motocicleta cuyas partes niqueladas refulgían al sol.

—Sí —reconoció Salas el músico—. Fue muy brava. Pero la del cinco fue peor. Cómo habrá sido, que cuando mi abuelo murió el último pensamiento que tuvo fue para la inundación.

El otro Salas se echó a reír. Sus dientes brillaban, limpios, blancos y regulares. Salas el músico lo contempló, entrecerrando los ojos. Sus labios cerrados y apretados bajo el bigote negro impedían ver lo idénticos que eran sus dientes a los del otro. El otro Salas tomó cerveza y el de camisa roja lo imitó, encendiendo después un cigarrillo. No convidó. Se limitó a dejar el paquete sobre la mesa y a encender un fósforo con la uña, aplicando después la llama al cigarrillo que colgaba de sus labios oscuros y estriados. Excepción hecha del otro Salas, ninguno más se rió. Se quedaron callados, serios y retraídos, tomando de vez en cuando un trago de cerveza.

—No es para reírse —dijo Salas el músico después de un momento, mirando con los ojos entrecerrados al otro Salas—. El último pensamiento que tuvo fue para la inundación del cinco. Dijo que había tenido miedo, y recién después se murió.

—Porque tu abuelo no vio la del sesenta —dijo el otro Salas.

—No, no la vio, pobrecito —dijo uno de los que escuchaban.

Salas el músico miró al que había hablado, un hombre gordo con una blusa azul descolorida. El hombre gordo tenía barba de tres días y se rascaba la cabeza echándose hacia atrás el sombrero. Gotas de un sudor sucio le corrían por entre la barba.

—Chin lo conoció bien —dijo Salas el músico, señalando al hombre gordo con un movimiento de cabeza—. Chin: mi abuelo, ¿era hombre de decir mentira por verdad?

Chin sacudió despacio la cabeza, pasándose la lengua por el labio superior para sorber el sudor.

—Nunca —dijo.

Los ojos de Salas el músico, tan parecidos a los del otro Salas, emitieron chispazos de satisfacción. Alzó la cabeza, dirigiéndola apenas hacia la puerta del almacén.

—¡Berini! —gritó.

—¡Bueno! —respondió de inmediato una voz desde el interior del almacén.

—¡Pese un poco de queso y corte un salamín! —ordenó Salas el músico, siempre con la cabeza vuelta apenas hacia la puerta del almacén y chispazos de satisfacción en los ojos.

El otro Salas no lo miraba.

—Hasta se llevó una locomotora con los vagones y todo —dijo Salas el músico, dirigiéndose otra vez a los de la mesa—. No quedó un solo rancho. Y por diez años no se vio ni un ratón ni una comadreja en toda la zona. En la ciudad el agua llegó hasta el centro. Hay fotos que lo atestiguan.

El otro Salas escupió. El de la camisa roja se levantó y corrió la motocicleta para que no le diera el sol, apoyándola contra el fragmento de pared sobre el que caía la sombra de los árboles.

—¿Me vas a decir ahora que en la del sesenta los vapores no pasaban de Helvecia a la ciudad navegando por donde antes había estado el terraplén? —dijo el otro Salas.

—¿Cómo te lo voy a decir si yo mismo lo vi? —dijo Salas el músico—. Pero la del cinco fue peor.

Chin tomó su vaso de cerveza y volvió a llenarlo. Había cuatro botellas vacías sobre la mesa.

—En seguida sudo lo que tomo —dijo, arrugando la cara.

El que todavía no había hablado le dio un golpecito en el brazo.

—Entonces sudás todo el día —dijo, y se rió solo.

—¿Y por casa? ¿Cómo andamos? —dijo Chin.

—Si no hay una gota —dijo el otro, sacudiendo la botella que Chin acababa de vaciar.

—Ya viene —dijo Chin.

63

—¡Berini! —gritó Salas el músico.

—¡Va! —respondió la voz de Berini.

—¡Una cerveza blanca! —gritó Salas el músico—. ¡La paga Chin!

Todos se echaron a reír a carcajadas. Los caballos se agitaron un poco y en seguida volvieron a tranquilizarse. Como no corría el más mínimo aire, las voces rápidas y las risas chillonas persistían como inmóviles engendrando su propia refracción y resonando. Entre las risas exclamaron como para sí mismos "¡Está bien!" o "¡Hay que joderse!" o "¡Qué desgraciado!" y los ojos de Salas el músico chispeaban de satisfacción, hasta que de un modo gradual hicieron silencio otra vez y entonces pudo oírse una abeja que entró en el patio zumbando por encima de sus cabezas, entre la fronda fría de los árboles. Después incluso la abeja dejó de oírse y Berini apareció haciendo chasquear sus alpargatas sobre el piso de tierra y dejando la botella de cerveza fría sobre la mesa de metal. Estaba limpio, bien peinado, y tenía puesto un saco pijama blanco que parecía recién planchado. Salas el músico distribuyó la cerveza en los cinco vasos mientras Berini retiraba las cuatro botellas vacías y se las llevaba para adentro, dos en cada mano, haciéndolas tintinear. La cerveza dorada se llenaba de luz y emitía reflejos por debajo del cuello de espuma blanca y opaca. Los cinco hombres bebieron casi al mismo tiempo.

—Hubo invasión de lampalaguas —dijo el otro Salas, pasándose la lengua por el bigote—. Se comían a los perros.

—En la del cinco también —dijo Salas el músico—. Y a más, yaguaretés que bajaban en camalotes desde el Brasil. Echaban cría por estos lados y tuvo que venir el ejército para matarlos. Una vez mi abuelo llegó de noche al rancho y vio un animal que salía a recibirlo y se creyó que era uno de los perros, pero cuando entró con él en el rancho y prendió el farol, vio que era un yaguareté. El cinco, las vacas volaban.

—Salas el músico se rió y todos lo acompañaron con risas lentas y suspicaces. Únicamente el otro Salas permaneció serio, mirándolo.— La creciente fue tan grande —dijo Salas el músico— que casi tapaba los árboles. Y las vacas se metían entre las ramas para que no se las llevara la correntada. Cuando el agua empezó a retirarse las vacas quedaron arriba y hubo que subir a bajarlas. Mi abuelo dice que cinco años después, andando por la isla, vio un montón de osamentas de vaca arriba de los árboles.

—El abuelo de éste —dijo el otro Salas, sin dirigirse a nadie en particular— poco más y pesca un tiburón en el Ubajay.

Ahora se rieron todos, incluso Salas el músico. Del interior del almacén llegaba un olor suave de creolina y unos ruidos imprecisos de objetos que chocaban contra el piso y contra el mostrador de madera. Los tres caballos atados a los árboles permanecían inmóviles: debían haber andado un buen rato bajo el sol, porque a pesar de su larga inmovilidad, el sudor hacía restallar sus pelambres oscuras. El de la motocicleta se pasaba sin cesar el dorso de la mano por la tela colorada de la camisa, despacio, sobre el brazo derecho, como si le gustara la sensación que producía sobre su piel la tela lisa. Chin sacudió la botella de cerveza y después la inclinó sobre su vaso, pero apenas si cayó por el pico un chorro débil de espuma que dejó en el fondo del vaso un sedimento amarillo. Chin se dio vuelta y llamó a Berini.

—¡Una cerveza blanca! —gritó—. ¡La paga Salas!

Las risas crecieron. Sonaban y resonaban dispersándose lentas y subían para perderse por fin hacia el aire soleado por encima de las hojas verdes. El parecido de los dos Salas creció con la risa, al echar los dos la cabeza hacia atrás y apretar el cuerpo contra el respaldo de la silla, emitiendo al mismo tiempo un ruido áspero y largo por la boca abierta que mostraba una doble hilera de dientes parejos y blancos; se parecían incluso por la vestimenta, porque los dos llevaban camisas grises descoloridas y unos pantalones sin ningún color preciso, y como estaban sentados uno enfrente del otro, con la mesa de por medio, los dos pares de pies enfundados en parecidos pares de alpargatas flamantes se apoyaban contra los travesaños opuestos de la mesa y los oprimían rígidos echando en tensión el cuerpo hacia atrás y haciendo balancear las sillas sobre las patas traseras. Las risas fueron apagándose sin orden, por contraste con la explosión unánime con que habían comenzado, decreciendo lentas, cada una a su turno reiniciándose alguna por un momento después de haberse desvanecido, hasta que no se oyó nada, excepción hecha del eco resonando en la memoria y Berini salió del almacén al patio trayendo la botella de cerveza y dejándola sobre la mesa al mismo tiempo que con la mano libre retiraba la vacía. Chin recogió la botella y llenó los vasos. Berini quedó parado cerca de la mesa, mirando en dirección al camino.

—Gente —dijo.

Las otras cinco cabezas giraron en el sentido en que Berini estaba mirando. Salas el músico debió incorporarse algo para ver: el camino arenoso se extendía recto hacia la costa flanqueando las construcciones de paja y adobe esparcidas en el borde del campo. Un hombre avanzaba por el camino, viniendo desde la costa. Caminaba despacio y parecía renguear. Se lo divisaba reducido por la distancia —unos doscientos metros— y dos o tres perros lo seguían, deteniéndose detrás de él para husmear el camino, juguetear entre ellos o ponerse a escarbar la tierra.

—Culo contra la pared —dijo el otro Salas.

Berini se dio vuelta y entró en el almacén. Los otros volvieron la cabeza y se acomodaron otra vez en sus sillas, tomando cerveza.

—Hay que ponerse culo contra la pared —dijo el otro Salas.

El que había hablado una sola vez se pasó la mano por la mejilla y terminó rascándose la mandíbula. Tenía puesto un sombrero de paja. Hizo un ademán.

—Vaya saber —dijo.

—Le pongo la firma —dijo el otro Salas.

—No se hubieran ido si no —dijo Salas el músico.

—Se fueron y se perdieron —dijo el otro Salas.

Berini salió otra vez del almacén, trayendo un montón de queso y salamín cortados sobre una hoja de papel de estraza. El de camisa colorada hizo a un lado la botella y Berini dejó el alimento sobre la mesa. Dijo que faltaba el pan y volvió a entrar en el almacén. Los cinco hombres se inclinaron al unísono sobre los pequeños cubos amarillos de queso y los redondeles rojos de salamín y comenzaron a llevárselos a la boca. Masticaban y tragaban y volvían a inclinarse para recoger con los dedos pedazos de queso o de salamín y volvían a llevárselos a la boca y a masticarlos y tragarlos. Berini trajo el pan cortado en rebanadas, sobre otra hoja gris de papel de estraza. Entrecerraban los ojos para masticar y de golpe los abrían de un modo desmesurado para tragar. Sus caras estaban sudadas. Chin agarró una rebanada de pan, la cubrió de rodajas de salamín y de pedazos de queso y después tapó todo con otra rebanada y empezó a comerlo. Podía oírse el ruido de la masticación.

—Trabajan las dos en un quilombo de la ciudad —dijo Salas el músico—. Yo las he visto.

—Se ganan la vida, pobrecitas —dijo Chin.

—Hacen bien —dijo el otro Salas.

—No han tenido suerte —dijo Salas el músico.

El de la camisa colorada dirigía la mirada de una cara a otra, a medida que sus compañeros hablaban.

—Siempre van estar mejor que aquí —dijo Chin.

El que había hablado una sola vez se tomó todo el vaso de cerveza de un solo trago y después dejó el vaso vacío sobre la mesa.

—Ojo. Ahí llega —dijo.

Era muy delgado y tenía una camisa rotosa y los pantalones sostenidos con un hilo grueso. Sonreía. Estaba descalzo. Los perros se dispersaron fuera del recinto del almacén, en el camino y en el campo.

—Buen día, muchachos —dijo.

Se paró a distancia y contempló la mesa. Los otros contestaron rápido a su saludo.

—Agustín viejo y peludo —dijo Salas el músico.

—Loco viejo —dijo Chin.

—¿Vas a salir de serenata esta noche? —dijo Agustín, dirigiéndose a Salas el músico.

—Seguro que sí —dijo Salas el músico.

Agustín sonreía. Tenía un sombrero rotoso de paja por debajo de cuya ala quebrada se veían brillar unos ojitos oscuros y húmedos; los labios rojos emergían de entre un matorral de barba negra. Permaneció parado a dos metros de la mesa, las manos cruzadas sobre el abdomen magro y los ojos sonrientes fijos en Salas el músico, mientras los otros lo contemplaban. Después su sonrisa se volvió superflua, anacrónica, pero no la abandonó: la transformó en una mueca temblorosa, expectante, y siguió sonriendo y mirando a Salas el músico ahora con los ojos entrecerrados, las manos cruzadas contra el abdomen y nada que decir o que preguntar.

—¡Berini! —dijo el otro Salas—. ¡Una cerveza blanca!

Salas el músico desvió la mirada. El otro Salas concentró otra vez su atención en la mesa, después de haberse vuelto un poco hacia la puerta del almacén para llamar a Berini. El de la camisa colorada encendió otro cigarrillo y echó una mirada fugaz a la motocicleta apoyada a la sombra contra la pared de ladrillos sin revocar; el sol que se colaba por entre las hojas de los árboles hacía centellear las partes cromadas de la motocicleta. El humo que despedía su cigarrillo ascendía con lentitud tortuosa y al atravesar los rayos solares que penetraban la fronda de los árboles se desplegaba y parecía alisarse ya que los arabescos se disolvían y el humo se distribuía en estratos planos, superpuestos unos a otros. El otro Salas tragó un bocado y dijo con gran seriedad:

—Después de la crecida del sesenta vino la seca grande del sesenta y uno. Donde antes había estado el río crecía pastito.

—Fue grande esa seca, sí —dijo el que había hablado una sola vez.

—Estuvo un año sin llover —dijo el otro Salas.

—En este camino —dijo Salas el músico, señalando con la cabeza el camino de arena por el que había venido Agustín, el camino que se extendía en dirección a la costa— había así de polvo. —Hizo un ademán, que consistió en poner las palmas de las manos horizontales, paralela una de otra pero en sentido inverso, la izquierda a treinta centímetros de altura sobre la derecha, la palma de la mano derecha hacia arriba y la de la izquierda hacia abajo.— Pasaba un carro y levantaba una nube de polvo que nos dejaba ciegos como por cinco minutos.

—Después había un olor —dijo el que había hablado una sola vez.

—Sí. Había un olor —dijo Chin—. Los animales caían muertos de golpe. En la costa no se podía andar porque había miles de pescados podridos.

Berini salió del almacén con una botella de cerveza y pasó junto a Agustín sin siquiera mirarlo. Agustín lo contempló mientras pasaba y siguió con la mirada la trayectoria de la botella que Berini alzó y dejó sobre la mesa, retirando la otra luego de sacudirla y alzarla para mirarla al trasluz y cerciorarse de que estaba vacía. Después volvió a entrar en el almacén. En ese momento se detuvo un sulky frente al almacén y bajaron dos chicos que no tenían puesto más que un pantaloncito descolorido y estaban tostados por el sol; entre los dos sacaron del sulky un esqueleto de vino lleno de botellas vacías y una bolsa; pasaron junto a la mesa sin saludar, o haciéndolo en voz tan baja que nadie los oyó llevando el esqueleto y la bolsa, y entraron en el almacén. El caballo blanco del sulky estornudó.

—¿Así que estás de serenata esta noche? —dijo Agustín.

—Sí —dijo Salas el músico.

—¿Con el ciego Buenaventura? —dijo Agustín.

—Con el ciego Buenaventura, sí —dijo Salas el músico. Sirvió cerveza en los cinco vasos. Los cinco hombres bebieron. El de la camisa colorada miraba el humo de su propio cigarrillo y Chin la cerveza de su propio vaso: casi no tenía espuma. Chin tenía la camisa manchada de sudor en las axilas y la barba entrecruzada de estelas de sudor sucio. Agustín desvió la mirada, sin dejar de sonreír.

—¿Convidan un vaso, muchachos? —dijo.

—Cómo debe haber sido —dijo Salas el músico después de un momento de silencio en el que nadie dijo una palabra ni se oyó ningún otro ruido— para que creciera el pastito en el lecho del río.

El que había hablado una sola vez sacudió la botella de cerveza y se sirvió un resto en su vaso. Lo agarró y se lo extendió a Agustín. Agustín dijo "A la salud de todos los presentes y feliz año nuevo" y se lo tomó de un trago, devolviendo el vaso vacío. Después entró en el almacén.

—No me gusta que me vengan a pedir bebida de prepo —dijo el otro Salas, en voz baja.

El que había hablado una sola vez se encogió de hombros y después hizo un gesto con el que quería indicar que no le importaba.

—Y menos ése —dijo Salas el músico.

—Capaz que no es cierto —dijo el que había hablado una sola vez.

—De no ser cierto, no se hubieran ido —dijo Salas el músico.

—Las perdió —dijo el otro Salas.

—¡Berini! —dijo Salas el músico—: ¡Una cerveza blanca! Eructó. Después sacó un paquete de cigarrillos del bolsillo de su pantalón, sacó uno y lo colgó de sus labios y tiró el paquete sobre la mesa. El paquete chocó contra el borde de la mesa y cayó al suelo; el de la camisa colorada se agachó para recogerlo y al cabo de un momento reapareció con la cara enrojecida y jadeando y el paquete de cigarrillos en la mano; lo depositó con suavidad sobre la mesa y se cruzó de brazos, su propio cigarrillo humeante colgado de sus labios. Salas el músico encendió su cigarrillo con parsimonia y echando la cabeza hacia atrás lanzó un chorro denso de humo hacia las copas de los árboles. El que le había dado la cerveza a Agustín miraba a Salas el músico con una fijeza abstraída: era un hombre flaco, de nariz ganchuda, y como estaba recién afeitado su piel atezada y tensa emitía una fosforescencia metálica en la parte rasurada. Ahora llegaban desde el interior del almacén la voz confusa de Berini y un ruido de botellas llenas y vacías al entrechocarse y al chocar contra los bordes del esqueleto de madera. Un pájaro empezó a saltar de rama en rama y a cantar nervioso sobre las cinco cabezas. Ninguno de los cinco hombres le prestó atención: continuaron durante un momento en silencio, absortos, esperando la botella de cerveza blanca y oyendo la voz confusa de Berini y el entrechocar de botellas que seguía llegando desde el interior del almacén. El de camisa colorada retiró el cigarrillo de entre sus labios y lo arrojó al aire en dirección a los caballos, pero con tanta fuerza y calculando el envión con tanta exactitud que el cigarrillo pasó por encima de las pelambres oscuras y cayó más allá de los animales, sobre el camino arenoso. Chin comenzó a recoger las migas de pan oprimiendo sobre ellas las yemas de los dedos y llevándoselas después a la boca. Después salieron los chicos con el esqueleto de vino, cargándolo entre los dos, y mientras uno de ellos acomodaba el esqueleto sobre el sulky, el otro volvió a entrar en el almacén y regresó cargando a duras penas la bolsa de arpillera llena de cosas hasta la mitad. El que estaba arriba subió la bolsa que el otro le alcanzaba y la acomodó sobre el esqueleto, en el piso combo del sulky. El de la bolsa subió en el momento en que el caballo blanco comenzaba a andar y se sentó al lado del que llevaba las riendas. Éste maniobró de modo de hacer retroceder al caballo, quedó con el sulky atravesado en el camino arenoso y después indujo al caballo a enfilar hacia la costa. Los hombres lo miraban maniobrar. El caballo empezó a andar despacio y después a trotar, levantando una polvareda débil y haciendo resonar amortiguados sus cascos contra la arena, de modo tal que el ruido de los arneses y de las cadenas contra las varas y los crujidos y los saltos del vehículo apagaban su golpeteo. El sulky fue alejándose gradual, hasta que perdió nitidez, y como el ruido de los cascos y el del sulky se asociaba a su movimiento, a medida que se alejaba y los ruidos dejaban de oírse, el movimiento pareció más y más una cabriola burlesca o paródica, y por fin irreal. En un momento se cruzó con la silueta de dos hombres que avanzaban lentos en dirección contraria: a la distancia parecían tan insignificantes y endebles que cuando la masa oscura del sulky los cubrió durante un momento, en el cruce, pareció que los había arrasado y hecho desaparecer con el simple choque. Pero después el sulky pasó y ellos reaparecieron y continuaron avanzando. Estaban a unos doscientos metros.

Berini emergió del almacén con una botella de cerveza y la dejó sobre la mesa. Traía mala cara.

—No está fría —dijo Chin tocando la botella con el dorso de la mano.

—Ni que la fueras a pagar —dijo el otro Salas.

Chin se rió y llenó los vasos.

—No les dan ni tiempo de que se enfríen. Si se las toman a todas —dijo Berini.

Agustín salió del almacén contemplando al grupo y en especial a Berini desde la puerta. Sonreía. Por entre su barba de una semana sus labios rojos se estiraban y temblaban, sonriendo. Parecía no tener un solo diente. Se había puesto las manos en los bolsillos del pantalón y apoyaba las plantas de uno de sus pies descalzos sobre el empeine del otro. Berini parecía irritado.

—Ahí tenés gente —dijo Salas el músico.

—Atendé la clientela —dijo el otro Salas.

La mirada del de la camisa colorada iba de una cara a la otra, a medida que los hombres hablaban. Salvo él, que se hallaba demasiado atento a las expresiones y a las palabras, y Berini, en cuya cara rubia y afeitada fluctuaba una irritación leve, todos los del grupo se pusieron a reír, con discreción. Al oírlos, la sonrisa de Agustín se hizo más amplia. Se acercó.

—¿Así que estamos de serenata esta noche, muchachos? —dijo.

—Así es, jefe —dijo Salas el músico.

—¿Y qué se va pagar, jefecito, para despedir el año? —dijo Agustín.

—Por hoy, nada —dijo Salas el músico.

—Jefecito, nomás —dijo Agustín—. Un vino, jefecito.

—Palabra, ando seco —dijo Salas el músico.

Berini se dio vuelta y se dirigió al almacén. Agustín lo siguió con la mirada, sonriendo.

—Berini viejo nomás —dijo.

Berini desapareció en el almacén.

—Andá decirle a Berini que te pague un vino —dijo Chin—. Él te lo va pagar.

Agustín permaneció inmóvil. El de camisa colorada se paró y se puso a tocar su motocicleta. Los rayos del sol que se colaban a través de las hojas hacían centellear las partes cromadas del vehículo y estampaban círculos de luz sobre la tela colorada. Agustín entró en el almacén.

—Berini le va pagar un vino —dijo Chin.

—Sí —dijo el otro Salas.

Sirvió cerveza en su vaso y dejó la botella. Después agarró el vaso y permaneció con él en el aire, sin tomar, el meñique extendido, sin mirar el vaso ni nada en particular. Al fin lo fue tomando de a tragos cortos, sin volver a dejar el vaso sobre la mesa hasta que estuvo vacío. En ese momento Wenceslao y Rogelio atravesaron el hueco de la puerta de alambre y entraron en el patio del almacén.

Los cinco hombres iban a responder al saludo pero les faltó tiempo. El cuerpo de Agustín salió volando por la puerta del almacén y cayó al suelo. El sombrero rotoso voló por el aire. El de camisa colorada, que se había acuclillado junto a la motocicleta observando y toqueteando el motor, se incorporó de un salto. Los cuatro hombres que estaban sentados alrededor de la mesa se pararon al mismo tiempo. La silla de Chin cayó hacia atrás con estrépito. Berini salió del almacén.

—Ningún hijo de puta va venir a tocarme porque —dijo, y al ver a los siete hombres que lo miraban, se calló. Rogelio avanzó un paso y se detuvo.

—Levanteló —dijo.

La esfera de sombra se ha reducido al máximo porque es el mediodía, pero en su claridad fresca incluye la mesa larga y el sol pega y resbala sobre las ramas más altas haciendo destellar las hojas y, deslizándose por las ramas exteriores, cae vertical sobre la tierra a su alrededor. Están protegidos de la luz ardiente, como si estuviesen contemplando una lluvia de fuego desde un refugio de observación. Ahora el disco está paralelo a la tierra, piedra incandescente y lenta, y permanece un momento inmóvil antes de continuar. Es necesario que se detenga o que dé esa ilusión para lograr alguna simetría en el tiempo: dividido, cortado en fragmentos comprensibles, puede verse mejor su sentido y dirección, si es que tiene sentido y dirección. Está entonces inmóvil en un cielo turbio por los destellos.

Puede sentir a sus espaldas refulgir la blancura áspera de la pared frontal del rancho porque le han dado la cabecera y ve, más allá de las cabezas puestas unas frente a las otras en doble hilera hasta el final de la mesa, el camino arenoso abierto entre los flancos de espinillos. A su derecha está Rogelio y a su izquierda Agustín. Después las dos filas de cabezas continúan decreciendo hacia la otra punta, presididas por la cabellera gris y los grandes bigotes blancos del viejo que come su alimento y toma su vino con parsimonia, sin dirigir la palabra a nadie. La vieja está a su izquierda, en la fila de la derecha en relación con Wenceslao, y también permanece en silencio. La silueta del viejo se recorta contra el camino amarillo. Se oye el entrechocar de los cubiertos contra los platos, el golpe de los vasos sobre la mesa de madera, las voces hablándose y contestándose en relación rápida, las sacudidas de la mesa y sus crujidos y vibraciones por el serrucheo de los cuchillos, las risas súbitas y el sonido liso de la saliva penetrando los alimentos en masticación, el golpe del pan al quebrarse, el impacto metálico de las fuentes de loza cachada al ser vaciadas y colocadas unas encima de las otras, la explosión seca y profunda de los corchos al salir de las botellas y el murmullo de la soda al manar súbita en un chorro blanco y recto y hacer rebalsar los vasos, el ronroneo del recuerdo y del pensamiento que suenan en el silencio y se hacen oír a través de él. El contraste no es únicamente de sombra y luz sino también de movimiento y de inmovilidad: por un lado están los árboles inertes, los espinillos que bordean el camino amarillo, y por el otro el crecer y disminuir imperceptibles de los pechos al ritmo de la respiración, la arena amarilla muerta y los brazos que se levantan con el tenedor en la mano en dirección a la boca, el tejido de alambre que separa la casa del camino y apenas si se ve y las cabezas que giran de un lado a otro y las lenguas que se mueven en la conversación, los cráteres vacíos de las huellas sobre la arena y los ojos que se mueven para mirar, el sol inmóvil contra el conjunto vivo en el interior de la esfera de sombra, el aire estacionario y sin viento y la fluencia de las palabras que repercuten y se esfuman. El olor del pescado frito, olor a pescado y a fritura, pero olor a pescado frito sobre todo, el olor del vino y de las ramas verdes entrecruzadas arriba, por encima de los cuerpos que tienen cada uno un olor particular y el olor de conjunto y el de conjunto en el momento del acto de comer, se mezclan y se confunden, separándose por un momento y cobrando identidad y nitidez, con el olor de los panes cuando se quiebran y con el olor frío y profundo de los corchos de vino, con el olor de la luz solar al bajar despacio y continua y resecar y socarrar la tierra. El gusto propio, el de la propia boca, el de los dientes y el de la lengua húmeda, el de los labios resecos con gusto a sudor, se funde y desaparece en la consistencia de la carne blanca del pescado que se deshace bajo la trituración de los dientes; la sal y el pan primero saben por sí mismos, pero después se funden en el sabor único del bocado que el vino tinto penetra y contribuye a macerar. Recibe en la boca y comienza a triturar con los dientes un bocado y después recibe en la boca de su propia mano que se alza con el vaso un largo trago de vino y los jugos del alimento se mezclan y confunden con el sabor grueso del vino, mientras ve los cuerpos extenderse en dos hileras en dirección a la cabecera opuesta, hacia la inmovilidad amarilla del camino, moviéndose y emitiendo sonidos y voces que puede escuchar, y deja sobre la mesa el vaso sin nada cuyo contacto liso y frío permanece un momento como un eco de contacto que más es recuerdo contra la yema de sus dedos: uno de esos recuerdos que no parecen pasar a la memoria sino quedar, anacrónicos, adheridos al lugar de la sensación, ojos, dedos, lengua.

Rosa y Teresa se levantan y desaparecen hacia la parte trasera de la casa, volviendo con fuentes de comida. Agustín y Rogelio, sentados uno frente al otro, comen sin hablar, inclinados hacia sus platos. Agustín sonríe hacia su propio plato, cortando bocados tan chicos y masticándolos con tanta lentitud que con la masticación misma deben diluirse y desaparecer, sin que llegue nada de ellos al estómago; toma un vaso de vino tras otro, con gran rapidez, sin mirar a ninguna parte en el momento de servírselos y tomarlos, como si tuviese el temor de ser censurado con la mirada. Evita mirarlo cuando lo ve servirse y sabe que Rogelio hace lo mismo. Después vuelve a fijar la mirada en el perfil de Agustín: ahora está sin sombrero y su cráneo se prolonga puntiagudo en la cima de la cabeza, cuya contraparte simétrica es la terminación del mentón; la nariz cae hacia abajo y la boca fina se pierde entre los matorrales de barba negra. Por debajo de su piel oscura se perciben ciertas manchas de palidez. Su sonrisa no produce placer sino más bien extrañeza y sospecha. Tiene la frente húmeda. Detrás están las zonas llenas de golpes intermitentes que martillean y destellan, los fragmentos podridos de realidad que se destiñen y deslavan empalideciendo cada vez más y volviéndose exangües, la luna móvil y titilante errabundeando en una región de pantanos a los que de golpe ilumina, fugaz y fragmentaria. Al masticar, los músculos de su cara cambian y se mueven, en distintas direcciones, con distinto ritmo y a diferente velocidad, creando hoyos de piel y protuberancias de hueso. Rogelio levanta la botella de vino y llena el vaso de Agustín, sin mirarlo, y después el de él, y por último su propio vaso. Después deja la botella otra vez sobre la mesa y continúa comiendo. El vino rojizo ha caído en un chorro grueso, oscuro, produciendo un sonido áspero, y ahora permanece en reposo y lleno de reflejos en el interior de los vasos. Agustín alza el suyo y toma: el vino va desapareciendo a medida que el vaso se vacía inclinado en ángulo cada vez más agudo sobre la boca de Agustín. Agustín devuelve el vaso vacío a la mesa: se lo ha tragado todo, hasta los reflejos, que persisten todavía en los otros dos vasos, reflejos rojizos pero más claros y transparentes que el cuerpo denso del vino que acaba en la superficie de cada vaso en un reborde morado y circular. En ese momento el Ladeado se levanta y se aproxima a la cabecera. Se detiene junto a Rogelio y le toca el hombro; Rogelio se inclina hacia él, sin volverse, con una semisonrisa; el Ladeado se pone en puntas de pie oscilando, lleno de precariedad, hasta que apoya su cuerpo contra el de Rogelio y usando la mano como bocina le dice algo al oído; Rogelio se da vuelta y lo mira, y después se echa a reír.

—Claro que no. ¿Cómo me voy a olvidar? —dice.

El Ladeado se separa de Rogelio y queda parado cerca de la esquina de la mesa esperando; su cabeza emerge ahogada por sus hombros desparejos y débiles. Rogelio toma un trago de vino y después deja el vaso sobre la mesa, mirando a Agustín.

—Che, Agustín —dice—. Che, Agustín —repite—. Atendeme, che, Agustín.

Agustín alza hacia Rogelio unos ojos húmedos, inquietos.

—¿No vas a mandar a este chico donde él te pide, el año que viene? —dice Rogelio.

—Va dar lástima —dice Agustín.

—Ya está por cumplir once años —dice Rogelio—. A qué vas a esperar, ¿a que le toque la milicia?

—Qué le va tocar la milicia si está todo torcido —dice Agustín.

—Torcido y todo —dice Rogelio— vale un Perú.

—Va valer un Perú, va valer —dice Agustín—. Qué va valer un Perú.

—Tenés que mandarlo, te digo —dice Rogelio—. Si te denuncian, capaz te meten en la cafúa.

—Y capaz, nomás —dice Agustín—. No me ha traído más que desgracia. Capaz nomás me meten en la cafúa por culpa de él. Pero salgo y lo rompo todo.

—Va venir el comisario y te va llevar, vas a ver —dice el Ladeado.

—Cállese la boca, mierda. Cállese, mierda —dice Agustín.

Rogelio se echa a reír.

—Si él quiere, tenés que mandarlo —dice Wenceslao.

—Yo soy dueño —dice Agustín.

Wenceslao se ríe.

—Serás dueño, sí, y todo lo que quieras —dice Rogelio—, pero te van a meter adentro y nadie te va llevar un carajo.

Ahora Agustín no sonríe. Wenceslao mira el camino amarillo y ve tres manchas movedizas —una colorada, una azul y una verde— que rebrillan al sol. Ahora el Ladeado gira, precario, y se aleja, después de haber mirado un momento a su padre y a Rogelio, y de un modo fugaz a Wenceslao, antes de darse vuelta y dirigirse al otro extremo de la mesa.

Por detrás del viejo, cuya silueta contrasta nítida con el camino amarillo, las tres manchas movedizas —azul, verde y colorada— rebrillan al sol, agrupadas hacia el centro del camino y fundiéndose con él por la ilusión de la distancia. La conversación se separa o se empasta en el círculo de voces y ruido y la voz aguda de Agustín resuena seca pero turbia y desaparece por momentos entre los ruidos que son más ricos y constantes que su voz.

—Por qué no lo habré tirado al río cuando nació, digo yo —dice Agustín.

—No seas bruto, Agustín —dice Rogelio.

—¿Acaso no me echaron de la arrocera cuando él nació? —dice Agustín—. Y miren cómo ando desde entonces, que no puedo levantar cabeza. Es un solo andar mal.

Rosa se levanta y va hacia el fondo de la casa. Wenceslao gira la cabeza siguiéndola con la mirada y la ve salir de la esfera de sombra y brillar un momento a la luz del sol antes de desaparecer. La pared blanca del rancho concentra la luz solar y Wenceslao puede sentirlo ahora que se ha dado vuelta otra vez y mira a Agustín. Lo siente casi tanto como lo sintió al verla de refilón en el momento en que Rosa desaparecía hacia el fondo de la casa; la textura blanca refulge, áspera. Al atardecer el sol declinará, despacio, hasta desaparecer. Declinará despacio, hasta desaparecer, y la oscuridad enfriará las paredes del rancho que emitirán un resplandor fosforescente, lunar. Remará lento en la canoa amarilla, saltará a tierra, entrará en la casa, se desnudará, se echará en la cama y el ronroneo continuo se irá cortando cada vez por más largo tiempo y con menor intermitencia hasta desaparecer. Verde, azul, colorada: las tres manchas movedizas se despegan del vértice final del camino, contra el horizonte de árboles. Relumbran y parecen moverse en el mismo punto, sin progresar, pero se puede sin embargo percibir una separación delgada, una pátina de vacío entre los árboles del fondo y esas manchas que miradas rápido y sin atención parecen empastadas contra ellos. Como el camino asciende de un modo imperceptible, las tres manchas parecen bailar sobre la cabeza del viejo. Alza el vaso de vino y toma un trago; ahora es Rogelio el que lo mira, mientras mastica.

—¿Qué me decís de este hombre, Layo? —dice Rogelio. Wenceslao, deja el vaso sobre la mesa.

—Qué querés que te diga —dice.

Rogelio se echa a reír. Rosa reaparece trayendo un montón de limones.

—Los limones de Layo —dice, y deja tres sobre la mesa, entre los tres vasos. Wenceslao agarra su cuchillo, limpia la hoja con una miga de pan y corta uno de los limones por la mitad. Rosa se aleja y continúa distribuyendo los limones sobre la mesa hasta que llega a su lugar y se sienta. Wenceslao agarra una de las mitades del limón y la oprime sobre su vaso para que el jugo caiga dentro de él. Después se sirve vino, chupa el resto del limón arrugando la cara y mordiendo los últimos filamentos jugosos y echa la cáscara dentro del vaso haciéndolo rebalsar. El limón se hunde apenas y la cáscara amarillenta se pega por dentro a la pared transparente del vaso. Rogelio hace las mismas operaciones con la mitad restante.

—Son jugosos —dice.

—Sí, son —dice Wenceslao.

—¿Vas a quedarte para la noche, a recibir el año? —dice Rogelio.

—No creo —dice Wenceslao.

—Sí, cómo no creo —dice Rogelio—. Ahora a la tarde nos cruzamos a buscarla.

—No va venir —dice Wenceslao.

—Si van las hermanas va cambiar de idea —dice Rogelio.

—La conozco bien —dice Wenceslao—. No va venir.

—Hay un cordero para esta noche. Lo vengo cebando —dice Rogelio—. Ahora a la tarde lo voy a degollar. Hay que hacerla venir porque hoy es fiesta.

—Es lo que yo le digo —dice Wenceslao.

Pasaba corriendo a través del patio, desde el rancho, en dirección al río, con el pantaloncito azul descolorido y la piel requemada por el sol árido; pasaba seguido por su sombra que se fundía un momento con la sombra del paraíso y después cobraba de nuevo nitidez y lo seguía deslizándose delgada y rápida; al rato desde el patio se oían el golpe seco de la zambullida y el chapoteo de las brazadas. Volvía chorreando agua y mostrando los dientes blancos que brillaban y brillaban. Ahora estará conversando con él, paseándose por la casa y haciéndose seguir por él a todas partes; al interior del rancho, sacudiendo la cortina de cretona al pasar del comedor a la pieza y volviéndola a sacudir al regresar de la pieza al comedor; al gallinero, en el fondo de la casa, "atrás"; lo hará sentarse frente a ella cerca del paraíso y la mesa, "adelante", y conversará con él explicándole por qué está ahí y no en la casa de su cuñado, llenándolo de rencor porque ha sido él y no Wenceslao el que ha penetrado y llenado con su cuerpo —una cuña afilada— un hueco en la tierra en el que no hay lugar más que para uno solo. Hablará plácida, y después lo verá correr, ir y venir corriendo desde el rancho en dirección al río, lo verá correr mil veces y oirá mil veces el golpe seco de la zambullida y escuchará el rumor apagado pero nítido de un millón de brazadas.

—Rosa —dice Rogelio, alzando la voz—. Después de la siesta vamos a cruzar en la canoa a ver si ella quiere venir.

—Sí —dice Rosa—. ¿Cómo no va venir?

—Es dueña —dice Agustín.

—Callate —dice Rogelio—. Nadie te pidió opinión.

El viejo dice algo desde la otra cabecera, pero no se lo oye. Hace un ademán tranquilo y después se toca los bigotes y queda otra vez en silencio.

—Es dueña de no venir, si no quiere. Ella sabrá —dice Agustín.

—Ya estás en pedo —dice Rogelio. Se dirige a Wenceslao—. Toma medio vasito de vino y ya se pone en pedo. Después hay que ir y peliarse con Berini para sacarlo del enriedo. —Vuelve a mirar otra vez a Agustín—. ¿Vas a mandar a ese chico adonde te pide o no, el año que viene, carajo? —dice riéndose.

—Lo va mandar —dice Wenceslao—. ¿No es cierto, Agustincito, que lo vas a mandar?

—Si no el Ladeado capaz te manda preso —dice Rogelio.

—Va mandar —dice Agustín.

Se sirve vino. Después corta un limón y exprime una mitad en su vaso. Deja la cáscara sobre la mesa. Wenceslao ve ahora las manchas que se aproximan —una colorada, una verde, una azul— y distingue tres figuras en movimiento que parecen flotar sobre el camino y debatirse contra el horizonte alto y macizo de los árboles. La mitad intacta del limón que Agustín acaba de cortar está en la mesa, junto al limón entero y a la otra mitad vacía de la que cuelgan unos filamentos pálidos de pulpa húmeda. Wenceslao pasa la yema del pulgar, de un modo muy suave, por sobre la pulpa apretada de la mitad intacta y la saca húmeda y fría. Después se lleva el dedo a la boca y lame la yema. Después alza la mano y señala el camino.

—Viene gente —dice.

Agustín y Rogelio hacen girar la cabeza y miran. Rogelio se incorpora y entrecierra los ojos para ver mejor, poniéndose la mano como visera sobre los ojos. Ahora ellos también van a ver las manchas verde, azul y colorada, debatiéndose móviles y avanzando por el camino arenoso. Wenceslao desvía la vista del camino para observar en cambio a Rogelio, que tiene la mirada clavada en esa dirección: Wenceslao ve en la expresión de Rogelio el esfuerzo, primero por ver, y después de haber visto para precisar lo que ve —para precisar que ve y *qué* ve— y por último para identificar las manchas y las figuras que se mueven, reducidas y constantes, contra el horizonte de árboles compacto y oscuro. Wenceslao puede adivinar el esfuerzo de Rogelio por discernir lo que ve.

—Viene para acá —dice Rogelio, volviéndose a sentar.

Después sabrán que son la Negra y Josefa, las hijas de Agustín, que vienen de la ciudad con una amiga que han traído de paseo a conocer la costa. Comprobarán que las manchas —colorada, verde, azul— eran sus sombrillas. Irán desprendiéndose de a poco del horizonte de árboles hasta convertirse en tres figuras, tres seres humanos, tres mujeres, tres mujeres jóvenes aproximándose a la casa por el centro del camino amarillo. Después oirán sus voces: muy fugaces, incomprensibles, y las observarán en silencio desde la mesa mientras se aproximan inmovilizados por la expectación esforzada previa al reconocimiento, hasta que los chicos primero y después las mujeres se levantarán de la mesa y saldrán a recibirlas. Los dos grupos se encontrarán en medio del camino, a cincuenta metros de la casa, y se escucharán voces y risas entre un tumulto de besos y de abrazos, contemplados desde la esfera de sombra —la mesa larga, ahora desordenada y llena de platos sucios, vasos, botellas, pan y fuentes con restos de comida— por Rogelio, Agustín y Wenceslao, y el viejo, que se habrá vuelto un poco hacia el camino en la otra cabecera y observará la escena con leve hieratismo y desinterés. Wenceslao mirará al grupo por encima de las sillas vacías; las recién llegadas serán rodeadas por las mujeres y los niños mientras los perros merodean alrededor. Después continuarán caminando —los grandes redondeles de las sombrillas arrojando sombras translúcidas y de color (azul, colorado, verde) sobre el suelo amarillo— y entrarán en el patio de la casa. Los hombres se pararán y saludarán. Agustín retomará su sonrisa pálida y se mezclará con el grupo. Wenceslao no alcanzará a comprobar si ha saludado o no a sus hijas. La Negra, Josefa y su amiga, de la que sabrán que se llama Amelia, estarán vestidas, comprobarán, con ropas chillonas y ajustadas, llenas de collares y de pulseras de fantasía que tintinearán a cada movimiento brusco de sus cuerpos. Rosa les limpiará un sector de la mesa, les pondrá platos limpios y les servirá rápido la comida, para sentarse lo antes posible a escuchar las voces roncas y complacidas de la Negra y Josefa mientras cuentan historias de la ciudad. Estarán todo el tiempo rodeadas de grandes y chicos, mientras dure la comida. Contarán que en la ciudad se vive de otra manera, que el ómnibus cruza un puente colgante sobre el río antes de comenzar a rodar por el camino de asfalto en dirección a la costa, que hay un supermercado donde uno mismo se sirve lo que quiere y va a depositarlo en un carrito de tejido de alambre, que todo el mundo fuma cigarrillos importados y que nadie se acuesta casi nunca antes del amanecer. Las mujeres contemplarán con admiración el pelo ahora rubio de la Negra. Ella les explicará que en la ciudad hay peluquerías donde no sólo lo tiñen o lo cubren con una peluca, sino que también lo baten y lo peinan de tal manera que si una se cuida puede andar peinada lo más bien durante un mes entero. Hablarán a veces por turno, a veces interrumpiéndose, con sus voces roncas y orondas, tosiendo de vez en cuando por causa del humo de los cigarrillos norteamericanos, ante el asombro creciente de los niños, la curiosidad de las mujeres y la indiferencia de los viejos, a los que habrán saludado y besado con ternura afectada al entrar. Enumerarán sus amistades en la ciudad, dejando entrever que se codean con militares, estancieros, comerciantes, y hasta con un diputado. Hablarán misteriosamente de su trabajo, con discreción hábil, usando siempre elipsis rápidas, eufemismos incomprensibles, y se fastidiarán dejando entrever que el vino está demasiado caliente pero se consolarán después diciendo que al fin de cuentas el vino tinto debe tomarse natural —sin hielo ni soda— y únicamente el blanco debe tomarse frío y sobre todo si uno come pescado. Estarán cruzadas de piernas, mostrando los muslos rollizos que emergerán de unas polleras demasiado cortas, demasiado estrechas y demasiado chillonas.

—Parecen mujeres —dice Wenceslao.

Agustín toma un trago de su vino con limón. Arruga la

cara. Su barba negra brilla y tiene reflejos azulados como un cepillo de acero.

—Parecen —dice Rogelio.

—Vienen caminando despacio —dice Wenceslao.

—Raro que no hayan venido por el otro lado —dice Rogelio.

—Capaz no vienen aquí —dice Agustín.

Wenceslao lo mira. Agustín parece más tranquilo ahora. Bajo la piel oscura la palidez de su cara es más difusa. Tiene el pelo negro revuelto, encrespado, áspero y terroso. Su frente brilla húmeda; la piel lisa y pegada a los huesos, y contra ellos agolpado lo que se desliza detrás y de pronto rechina, las manchas fosforescentes y súbitas que se encienden y se apagan en el recinto plagado de oscuridad.

—Capaz —dice Wenceslao.

—Vienen para acá —dice Rogelio.

—Capaz que doblan por el caminito y van para los ranchos del claro —dice Wenceslao.

—Habrían bajado en el camino de Berini —dice Rogelio.

—Sí —dice Wenceslao.

—Salvo que haigan errado el camino —dice Rogelio.

Las manchas —azul, verde, colorada— refulgen. Parecen clavadas contra el horizonte de árboles, suspendidas sobre el camino amarillo, sin siquiera rozarlo, moviéndose sobre él con contorsiones ondulantes y leves, sin avanzar. Después llegarán y serán reconocidas como la Negra, Josefa y su amiga Amelia. Se sentarán a la mesa y comerán charlando sin parar con sus voces roncas, fumando cigarrillos rubios llenas de alhajas de fantasía enormes y tintineantes. Hablarán de las calles del centro de la ciudad, con letreros luminosos de todos colores que se encienden y que se apagan, de lo bien que uno se siente paseando en coche cuando llueve y hace frío, en un coche con calefacción, viendo cómo el limpiaparabrisas arrasa las gotas que chocan y estallan de a puñados contra el vidrio del parabrisas, mientras suena en la radio alguna música de moda; de cómo de vez en cuando, en los días que tienen franco en el trabajo, alguno de sus amigos, el militar, el comerciante, incluso el diputado, las saca en su automóvil a pasar el día en el campo o en Rosario. Las escucharán en silencio. Después la Negra abrirá su bolso y sacará la cámara fotográfica: la sacará despacio, después de hurgar un buen rato entre las prendas apelotonadas en el interior del bolso, protegida por un estuche de cuero color mostaza, y el montón de pares de ojos seguirá, con cuidado minucioso, su operación de hacerla aparecer y elevarla hasta la mesa, mostrándola, y la operación subsiguiente de sacarla del estuche, con pericia estudiada y hábil precaución, tratándola como si fuese una cosa viva. Después les pedirá que posen para una instantánea. Al principio vacilarán, cohibidos, mirándose unos a otros, pero la Negra —la pollera chillona ajustada a las nalgas demasiado gruesas, el cigarrillo colgando de los labios— irá empujándolos uno por uno, hablándolos, convenciéndolos para que se acomoden y posen contra la pared blanca del rancho que refulge, árida, en medio de la luz solar opuesta a la esfera de sombra fresca en la que está incrustada la mesa. La Negra se inclinará hacia la vieja y el viejo y hablará con ellos en voz baja, explicándoles dos o tres veces de qué se trata, hasta que el viejo se pondrá de pie con tiesura y la vieja lo seguirá con aire distraído y se encaminarán hacia la pared blanca. Todos se dirigirán, con lentitud y en desorden, hacia ese punto. Sus voces resonarán fugaces y se esfumarán. Llevarán algunas sillas. Al fin se acomodarán en tres hileras, siguiendo las indicaciones roncas de la Negra, parada en el límite de la esfera de sombra, frente a la pared blanca, sosteniendo la cámara con una mano y moviendo sin parar el brazo libre. Amelia se negará a aparecer, argumentando que se trata de una foto de familia, y nadie insistirá demasiado, de modo que se quedará sola, sentada en la silla de Wenceslao, mirando hacia la pared blanca del rancho. Los viejos ocuparán el centro del cuadro, sentados, tiesos y erguidos, en pose perfecta, y el resto se acomodará en torno a ellos: en la misma fila, de pie, estarán Rosa y Teresa, a la izquierda, del lado de la vieja, y del otro lado, a la derecha, del lado del viejo, Josefa y Rosita la hija de Rogelio. En la última fila habrá seis, de izquierda a derecha, parados: Rogelio, el hijo mayor de Rogelio, Rogelito, Wenceslao, Agustín, y los dos varones mayores de Agustín, el Chacho y el Segundo. La otra fila, la de abajo, será la de los tres niños, sentados a los pies de los viejos: en el medio Teresita, con las piernas cruzadas a la altura de las pantorrillas, a su izquierda el Carozo, el hijo menor de Rogelio, acuclillado, y a su derecha el Ladeado, con las piernas estiradas hacia adelante y apoyando los hombros contra las rodillas de la vieja. Incluso después de haberse ubicado seguirán moviéndose, buscando la actitud adecuada, como si quisiesen poner en la fotografía lo mejor de sí mismos, o lo que esperan que los otros perciban de ellos, o lo que ellos mismos esperan reconocer de sí mismos tiempo después, cuando se reencuentren en la imagen: Rosa se tocará una y otra vez el pelo, nerviosa; los chicos se reirán y adelantarán la cabeza hacia la cámara; Wenceslao, el viejo y Rogelio se pondrán serios y graves, como si estuviesen por ser no reproducidos sino juzgados por la cámara; la seriedad de la familia de Agustín será de otra clase, más grave y más oscura; únicamente sus hijos mayores, el hijo de Rogelio y Josefa, que permanecerá tranquila con aire condescendiente, se comportarán con una naturalidad relativa. La Negra permanecerá en el límite de la esfera de sombra, mirando alternadamente el visor y el cuadro humano formado ante ella, contra la pared blanca llena de refulgencias. Les pedirá primero que se estrechen y después que se separen, que no se cubran unos a otros, que sonrían, que miren a la cámara, que el Ladeado ponga un brazo sobre el hombro de Teresita y que el viejo y la vieja se den la mano. Permanecerán unos segundos así, inmóviles y en silencio, con sus sonrisas congeladas y sus ademanes a medio realizar, apretados y dirigiendo la mirada al objetivo, en torno al viejo y a la vieja como a un núcleo que los generara en círculo y en relación, como un sistema planetario, así hasta que en el intervalo de una fracción de segundo no pasará nada, salvo los cuerpos cambiando en reposo y sus sombras inmóviles contra la pared centelleante, y después se oirá el sonido metálico del obturador y entrarán otra vez en la corriente del movimiento visible, y se dispersarán.

Con el cuchillo rompe el tejido de ramas que ha formado una especie de gruta férrea de medio metro de altura sobre el suelo, un núcleo apretado de ramas y hojas en el que las enredaderas, mezclándose con arbustos y pastos, tortuosas, han levantado una especie de construcción en medio de la isla. Rompe la gruta con placer, por puro gusto, para ver el suelo debajo. La tierra húmeda va haciéndose visible, mostrándose a medida que el chasquido del cuchillo agita el aire y penetra entre las ramas haciéndolas explotar al quebrarse; al final abre un claro de alrededor de un metro cuadrado y se acuclilla para contemplarlo: la sombra perpetua lo ha conservado húmedo, liso, plagado de raicitas ralas y de tallitos blancos y lisos, de un centímetro de altura, que acaban en dos hojas suaves de un verde claro. Sabe que nadie ha visto antes esa porción de tierra húmeda; que nadie la ha pisado, desde el comienzo. Habrán pasado víboras y comadrejas y la habrán visto, pero no hombres. Es un fragmento de poco menos de un metro cuadrado de tierra húmeda, en el centro de la isla, en un espacio apenas amonticulado, custodiado en círculos cada vez más amplios, hasta llegar al anillo de agua que la rodea, por la vegetación de la isla, enana y enmarañada, plagada de nudos de arbustos y enredaderas que se extienden de un árbol a otro ahogándolos con sus ramas sin término y sus flores desmesuradas. Está acuclillado, mirándolo. Después se levanta y se va.

Cruza el río de una isla a la otra, remando rápido. Ella tiene el chico en los brazos, en la puerta de la cocina.

—Rogelio está esperándome —dice Wenceslao.

—¿No van a llevar algo para comer en el viaje? —dice ella.

—Rosa iba preparar —dice Wenceslao.

—¿Cuándo vuelven? —dice ella.

—Si no pasa nada, mañana a media mañana estamos acá —dice Wenceslao.

El verano arde a su alrededor. Wenceslao mira el cielo, el sol alto que acaba de pasar el mediodía y comienza por lo tanto a declinar, y queda por un momento como ciego; cierra los ojos, y al abrirlos, mirando a su alrededor, todas las cosas, el aire, los árboles, el cielo, aparecen manchadas por un resplandor verdoso.

—Puede llover —dice.

—Si llueve no anden mojándose. Paren y esperen abajo de la chata —dice ella.

—Ya veremos —dice Wenceslao.

Se da vuelta y se va. Sube en la canoa verde y cruza el río en dirección a la orilla opuesta. El agua está tibia y el sol pega de firme sobre ella, haciéndola destellar. Rogelio está esperándolo en el patio trasero. Tiene un vaso de vino en la mano y está en cueros; su pantalón sucio, sin cinturón, se sostiene por la turgencia leve de la barriga. Su piel oscura brilla húmeda. El sombrero de paja le hace sombra sobre los ojos, una sombra llena de coladuras de sol, ínfimas.

—¿Comiste? —dice.

—Hoy temprano. Sí —dice Wenceslao.

Sigue a Rogelio hasta el patio delantero. Hay dos paraísos débiles que no dan más que una sombra tenue llena de perforaciones. La chata espera, con los dos caballos atados, más allá del tejido de alambre, vacía, apuntando hacia el camino. El montón de sandías está en el patio.

—El rosillo tiene un vaso delantero sin herrar —dice Rogelio—. Villalba no pudo terminar de herrarlos.

—No va aguantar el asfalto —dice Wenceslao.

—Si vamos todo el tiempo por la banquina hasta llegar a la ciudad, puede que aguante.

—Ni que vayamos por el agua —dice Wenceslao.

—Si llegamos a la ciudad y vendemos podemos hacerlo herrar antes de pegar la vuelta —dice Rogelio.

Rogelito asoma por la puerta del rancho. Está todo desnudo y le cuelgan mocos de la nariz.

—Rosa —dice Rogelio, en voz alta. Rosa asoma detrás del chico—. Ponele algo en la cabeza a esa criatura.

—Layo —dice Rosa.

—Cuñada —dice Wenceslao—. ¿Cómo va?

—Bien —dice Rosa.

—Que no ande esa criatura al sol en cabeza —dice Rogelio.

El chico mira con placidez, los mocos colgándole sobre el labio superior y las manos en la barriga redonda. Tiene las piernas torcidas.

—Se me escapó —dice Rosa.

—¿Cómo vamos a llegar con ese caballo sin herrar? —dice Wenceslao.

—¿Qué vamos a esperar, que se pudran? —dice Rogelio.

—Ese animal va sufrir —dice Wenceslao.

—No si cuidamos de ir por la banquina —dice Rogelio.

Rosa alza al chico y desaparece con él en el interior del rancho.

—Está bien —dice Wenceslao—. Vamos a cargar.

—Subí al carro —dice Rogelio—. Yo te las voy alcanzando.

Wenceslao se saca la camisa y la cuelga de una de las ramas del paraíso. La rama se balancea por el peso de la camisa que proyecta una sombra oscilante en el suelo de tierra apisonada. Wenceslao sube al carro. Su figura magra resulta nítida contra el azul árido del cielo y tiene la piel rojiza, socarrada. La sombra de su cuerpo se quiebra sobre el borde de la chata y continúa proyectándose en el suelo. Rogelio comienza a separar sandías del montón y a aproximarlas a la chata, dejándolas en el suelo. Al tercer o cuarto viaje empieza a sudar; Wenceslao espera parado sobre la chata, los brazos en jarras y el sombrero de paja haciéndole sombra sobre la cara.

—Va —dice Rogelio.

—Venga —dice Wenceslao.

Recibe la primera sandía en las manos y el peso y el envión lo hacen oscilar un poco; deja la sandía en el piso de madera de la chata, contra uno de los rincones delanteros y vuelve después a la parte trasera a recibir la segunda sandía.

—Venga —dice.

—Va —dice Rogelio.

Se dirige a la parte delantera de la chata y deja la segunda sandía al lado de la primera; al volver a la parte trasera, recibe la tercera sandía que Rogelio le entrega en silencio. Ya no se la da en la mano sino que se la arroja, y por un momento, a través de un espacio breve, la sandía va sola por el aire hasta que choca con las palmas abiertas y separadas de Wenceslao produciendo un ruido seco y como a hueco. Sobre la primera hilera de sandías acomodada contra la pared delantera de la chata va una segunda y encima de la segunda una tercera. Después Wenceslao ordena otra vez una primera fila en el piso y sobre ella dos hileras más. Después una tercera y una cuarta, cada una con sus dos hileras encima. Cada sandía se parece a todas, y todas se parecen a cada una: la misma forma alargada, ovoide, cierta protuberancia en el medio, una mancha blancuzca superpuesta al verde pálido de la cáscara en el sitio sobre el cual la sandía ha estado apoyada en la tierra mientras crecía, antes de ser arrancada de la planta y puesta en el montón con las otras. La cáscara lisa aparece marcada por unos filamentos intrincados de un verde más oscuro que se bifurcan y se quiebran, se comunican, nerviosos y complicados, formando unas redecillas tortuosas y caprichosas que cubren toda la superficie de la cáscara como una escritura, y en la porción blanquecina, lisa y descolorida como un vientre animal, tienen un tinte amarillento. Con regularidad lenta, cada sandía ha ido moldeándose a sí misma desde dentro, hasta hacerse semejante, pero no idéntica, a todas las otras. También Wenceslao, las acomoda ahora a un ritmo lento y regular. El sudor de su frente gotea sobre la cara y el torso desnudo dejando estelas sucias sobre la piel enrojecida. El montón de sandías en el patio delantero, del otro lado del tejido, va disminuyendo a medida que Rogelio las recoge y las arroja a las manos de Wenceslao, hasta que por fin desaparece del todo convertido en las hileras parejas colocadas por Wenceslao en la chata. Ahora el lugar del patio en el que han estado las sandías está vacío. Wenceslao baja de la chata y se apoya en ella, encendiendo un cigarrillo. Rogelio se aproxima. Respiran con la boca abierta, con cortas y ruidosas inspiraciones y expiraciones, y se miran durante un momento sin hablar. Wenceslao chupa dos o tres veces el cigarrillo sin tragar el humo.

Su voz suena ronca.

—Seiscientas —dice.

—Seiscientas, sí —dice Rogelio.

La respiración se les va normalizando, gradual. Están llenos de sudor.

—Si demoramos nos vamos a quedar sin lugar —dice Rogelio.

Se dirigen hacia la bomba y se lavan. Rosa sale con un trapo blanco y se los da para que se sequen. Ni se peinan. Rogelio arranca una vara larga de paraíso y la deshoja, haciéndola chasquear dos o tres veces en el aire. Terminan de ponerse las camisas y suben a la chata, sentándose en el pescante, el cuerpo de Wenceslao como reducido por la altura maciza de Rogelio. Rosa está en la puerta del rancho, el chico desnudo con un sombrero sucio de trapo floreado cubriéndole la cabeza, aferrado al vestido verde de la madre. Los dos hombres la saludan afables, Wenceslao con la mano y Rogelio con un breve movimiento de cabeza, que ella contesta alzando primero la mano y después al niño, al que hace sacudir la mano en señal de saludo. El chico se echa a llorar.

—¡Rosillo, yegua! —dice Rogelio, agitando las riendas, apretando los dientes y dando un tono nasal a su voz. Sacude la vara en el aire sobre los caballos, sin tocarlos, haciéndola vibrar y chasquear.

Los caballos se mueven sacudiendo las colas y las cabezas y golpeando el suelo con las patas delanteras, permaneciendo un momento sin poder salir de su lugar, como si no pudiesen despegarse de la tierra, haciendo fuerza hacia adelante, con todos los músculos en tensión, sin lograr arrastrar la chata durante una fracción de segundo, hasta que por fin la armazón de madera de la chata cruje y cede y el conjunto —chata y caballos y sandías y hombres— empieza por fin a andar. Sentados sobre el travesaño del pescante, los dos hombres oscilan con el movimiento del vehículo, de un modo leve, hacia los costados y después de un cambio brusco de ritmo hacia adelante y hacia atrás. Después otra vez hacia los costados. Cuando las ruedas se incrustan en un pozo de arena y patinan en él hasta salir, los cuerpos pareciera que sufren especies de estremecimientos que los hacen sacudir con un temblor rígido. Los caballos golpean con sus cascos contra el suelo de arena, produciendo sonidos opacos, apagados, y desde la altura del travesaño del pescante Wenceslao mira el campo a su alrededor, los flancos de espinillos primero, el horizonte de árboles al final del camino después, hasta que de pronto se da vuelta y mira hacia atrás para ver la casa de Rogelio convertirse en un grupo de árboles que apenas si dejan entrever unas fachadas de barro y un techo de paja. Después enciende un cigarrillo. Protege la llama del fósforo con las manos, porque el desplazamiento de la chata produce un aire rápido que arrastra el humo de las primeras chupadas hacia atrás, dispersándolo y haciéndolo desaparecer. Los caballos también avanzan sacudiendo la cabeza, y el pelo comienza a brillarles húmedo. El horizonte de árboles contra el que se aplasta el camino se aproxima cada vez más, como a saltos bruscos, agrandándose y haciéndose más nítido, hasta que pueden verse las copas alargadas de los eucaliptos que componen el bosquecito meciendo en forma imperceptible sus puntas flexibles y las miríadas de hojas moviéndose con un rumor inaudible y dejando colar la luz dorada y ya declinante. El camino hace un giro brusco frente a los eucaliptos y sigue a la derecha para retomar después de una nueva curva cerrada, esta vez hacia la izquierda, su antigua dirección. Ahora la chata bordea el bosquecito y su sombra se arrastra rápida, con las salientes alargadas de las sombras de los dos hombres y las sombras de los caballos que sacuden armoniosos las patas y las cabezas. Parecen la proyección móvil de un dibujo deliberadamente deformante del conjunto de carro y caballos. El camino se prolonga recto hasta el camino real, aterraplenado. Con violentas tensiones y vacilaciones los caballos trepan la pendiente corta del terraplén, mientras Rogelio sacude veloz la vara y grita sobre sus cabezas. Por un momento, en la cima, pareciera que carro y caballos van a retroceder con violencia pero después de una fracción de segundo de inmovilidad ilusoria los caballos salen como a la carrera —con un esfuerzo en apariencia mucho mayor en proporción a la distancia real que recorren— y ganan el camino. La cinta recta y aterraplenada es menos arenosa que el camino lateral y está como apisonada. Frente a los dos hombres, el disco del sol, rojizo y ya sin destellos, está hundiéndose en una gran nube gris amurallada en el horizonte. El camino está vacío. Desde la altura apisonada se dominan las dos grandes extensiones de campo que la flanquean. Avanzan con ritmo regular y el sonido complejo de los caballos y la chata —el chirrido de las ruedas de rayos colorados, fileteados de amarillo, girando sobre la tierra, y el crujido de las varas, y el tintineo de las cadenas y los cascos de los caballos que suenan apagados— los acompañan. Todos los ruidos forman un solo sonido que se repite monótono y que es siempre el mismo y diferente porque acaba y vuelve a recomenzar de un modo imperceptible. No se sabe qué es sonido y qué recuerdo de sonido, porque el sonido vuelve a recomenzar antes de que el recuerdo de los chirridos y los golpes apagados se disipe, superponiéndose a él. Después la gran nube comienza a subir hacia lo alto del cielo, cubriendo el sol y su vasta superficie gris está llena de manchones grávidos, ásperos, difumados, de un tinte verdoso. El sol desaparece. En su lugar queda una luz oscura, una paradójica claridad difusa diseminada con tersa intensidad entre el cielo y la tierra. Nimba a la chata y a los caballos, que avanzan hacia la tormenta, contrastando nítidos con la luz. Atraviesan una zona de inmovilidad completa, en la que el camino aterraplenado se abre paso, recto y claro, entre dos cañadas; la chata entra en la zona de inmovilidad y avanza por ella hasta que de golpe se detiene.

—Viene agua —dice Rogelio.

—Puede ser una tormenta pasajera —dice Wenceslao.

—Sí. Puede ser —dice Rogelio—. Pero si viene un temporal vamos a estar jodidos.

—Capaz que nos da tiempo de llegar a la ciudad antes de largarse —dice Wenceslao.

—No creo —dice Rogelio, mirando el cielo a su alrededor.

—¿Y si es una tormenta pasajera? —dice Wenceslao.

—El tiempo es loco —dice Rogelio, suspirando y sacudiendo las riendas.

Se pone a llover una hora después, en el momento en que los caballos tocan con sus cascos el camino de asfalto. Se larga de golpe, sin un relámpago ni un trueno, en silencio, como si la luz oscura, verdosa, se hubiese de pronto licuado. Ni siquiera caen gotas aisladas al principio; comienza a caer un chaparrón, súbito y denso. La última luz se convierte en agua y después en una cortina de oscuridad líquida, murmurante. El ruido del carro y los caballos es apagado por el rumor de la lluvia; sólo se deja oír por momentos, confuso y fragmentario, en el umbral de su desaparición. Wenceslao siente en la cara y en el cuerpo el golpe del agua, viniendo de todas direcciones, aunque todavía no hay viento. La chata comienza a rodar por la banquina en el preciso momento en que el primer relámpago ilumina con una luz azul el largo camino desierto que por momentos brilla apagado. Después se oye el primer trueno: va bajando de la oscuridad pareja, repitiéndose varias veces a sí mismo de un modo cada vez más nítido y cercano, como si paradójicamente primero se oyesen los ecos sucesivos del trueno y después su explosión real. La chata disminuye la velocidad y los caballos tantean ciegos en la oscuridad antes de avanzar, inclinándose en el ligero declive de la banquina. A la luz de los relámpagos se ve la densidad del agua, plagada de rumores que casi no pueden oírse o discernirse debido a la extensión repetida de rumores idénticos que no sirven como contraste y que se superponen a los primeros. Los relámpagos espaciados y el golpe del agua contra su cara y su cuerpo son la única referencia débil que ayuda a Wenceslao a no creer en su absoluta irrealidad: lo único visible para él es su propia fosforescencia interna que palpita en medio de la más ardua oscuridad y que está como adormecida por el ronroneo monótono, apretado y múltiple de agua, sonido y oscuridad. Por fin el borde de la banquina cede y de no ser por el cimbrón violento, el forcejeo inútil de los caballos y la peligrosa inclinación de la chata, una de cuyas ruedas traseras gira en el vacío, Wenceslao hubiese creído que continuaba avanzando. Wenceslao baja, tantea el carro guiándose por él hasta llegar a la parte trasera, y palpa la rueda que gira fuera de la banquina, en el aire.

—Ahora voy a empujar para tratar de levantarlo. Con cuidado. Puede venirse para atrás —grita, y ni siquiera está seguro de haber sido oído.

Lo intenta dos o tres veces, sin resultado. De haber podido apoyar con firmeza los pies en el suelo lo hubiese logrado la primera vez, pero la tierra gredosa de la banquina es demasiado resbaladiza y la primera vez sus pies se deslizan para atrás y su cara golpea contra el borde de la chata. Por un momento queda como aturdido, pero se siente a sí mismo demasiado espectral en medio de la noche y de la lluvia como para advertir su propio aturdimiento. La segunda vez no resbala porque se afirma mal, de manera que tampoco cuenta con el apoyo necesario como para que su esfuerzo dé algún resultado. Es cuando se apoya ciegamente contra el carro y comienza a alzar el hombro una y otra vez con un ritmo lento y furioso, murmurando "Ahora, ahora, ahora", cuando consigue que la rueda muerda por fin el borde de la banquina y la chata salga disparada hacia adelante, demasiado veloz, como si todo el esfuerzo inútil realizado minutos antes se hubiese acumulado produciendo su efecto en el primer envión. Sin el apoyo de la chata y con todo el cuerpo echado hacia adelante Wenceslao cae, levantándose apenas toca el suelo con las manos, como si hubiese rebotado. La voz débil de Rogelio lo guía hasta el carro y va tanteando la construcción de madera —la rueda trasera, más alta, primero, la delantera después— y un súbito relámpago verde le revela por un segundo el contorno entero de carro y caballos y la silueta más alta de Rogelio, encogida contra el cielo oscuro. La imagen continúa titilando en su retina mientras sube y se sienta en el travesaño del pescante, ocupando intermitente y de un modo cada vez más vago la penumbra de su mente hasta que se hace la oscuridad completa. Ahora experimenta por fin aturdimiento, un sueño súbito. Cuando se despierta ya no llueve, pero refucila sin parar. La oscuridad es menos densa. Es como si hubiesen atravesado una zona de agua y ahora estuviesen atravesando una de electricidad y de estruendo. Pero el asfalto sobre el que golpean los cascos de los caballos está mojado. A los costados del camino se divisan unas luces dispersas, débiles.

—Rincón —dice Wenceslao.

—Pasamos Rincón hace una hora —dice Rogelio—. Esto es La Guardia.

—Hay que ir por la banquina —dice Wenceslao—. Ese caballo no va aguantar.

—Si zafa otra vez la rueda nos vamos abajo con carro y todo —dice Rogelio.

—¿Qué horas serán? —dice Wenceslao.

—Han de ser cerca de las diez —dice Rogelio.

—Quién sabe la cola que vamos a encontrar —dice Wenceslao.

Truena y refucila, pero en el horizonte se divisa una hilera de luces, recta. Wenceslao palpa su bolsillo en busca de cigarrillos, pero encuentra el paquete húmedo y deshecho. Con cuidado, tanteando en la oscuridad, separa un poco de tabaco mojado, y se lo lleva a la boca, mascándolo. Lo escupe en seguida. Escupe dos o tres veces, para eliminar del todo el gusto del tabaco.

—Hay que colgar el farol para pasar la caminera —dice Rogelio. Para la chata y busca en el cajón, debajo del pescante, sosteniendo las riendas con una sola mano—. Dame un fósforo —dice.

Wenceslao busca la caja de fósforos pero no la encuentra.

—Lo cuelgo apagado y lo encendemos en la caminera —dice Rogelio.

Le entrega las riendas, baja de la chata, y vuelve después de un momento.

—Deberíamos dejarlos descansar un momento —dice Wenceslao, cuando le devuelve las riendas a Rogelio.

—No llegamos —dice Rogelio, sacudiendo las riendas. Los caballos se ponen otra vez en movimiento. Avanzan lentos. Los crujidos y los chirridos de la madera, el golpeteo de los cascos contra el asfalto y el entrechocar de las cadenas, resuenan con un ritmo nuevo, más apacible y nítido. En la caminera hay dos policías, en la puerta de la garita. Tienen puestos unos capotes negros que los protegen del agua. Ni se mueven cuando el carro llega y se detiene junto a ellos. Rogelio ata las riendas y baja. Wenceslao lo sigue.

—Maestro —dice Rogelio—. Buenas noches. ¿Tiene un fósforo, maestro?

—¿Van al mercado? Buenas noches —dice uno de los policías. En el interior de la garita hay un farol encendido que arroja al exterior una luz débil.

—Así es —dice Rogelio.

Uno de los policías —el que ha permanecido en silencio— entra en la garita y sale de ella con una caja de fósforos, dándosela a Rogelio. Éste se dirige hacia el carro. Wenceslao y los dos policías lo miran mientras enciende el farol que ha descolgado y depositado en el suelo, arrodillándose junto a él. Por fin logra encenderlo y lo alza, balanceándolo y haciéndolo emitir una luz móvil que proyecta sombras también móviles y rápidas, rectilíneas, hasta que lo cuelga en la parte trasera de la chata y la luz y las sombras quedan por fin en perfecta inmovilidad. Rogelio regresa.

—Gracias, maestro —dice, devolviéndole los fósforos al policía.

Quedan un momento en silencio: como los policías están parados uno a cada lado de la puerta sin interceptar el hueco de la abertura, la luz del farol atraviesa la abertura y cae en el suelo barroso de la banquina; Wenceslao y Rogelio tampoco interfieren la luz, de modo que los cuerpos enfrentados permanecen todos en el límite que separa la claridad de la sombra; más allá está el manchón claro del farol que cuelga en la parte trasera del carro, y hasta Wenceslao llega la palpitación inaudible de los caballos que resuellan atenuadamente en la oscuridad. Un relámpago se los muestra, nimbados por un área súbita de luz verdosa comida por un contorno de oscuridad.

—¿Ha llovido mucho, en la costa? —dice el policía que ha entrado a la garita a buscar la caja de fósforos.

—Era un solo llover —dice Rogelio.

Se callan otra vez.

—Bueno, maestro, gracias —dice por fin Rogelio.

—Va seguir lloviendo toda la noche —dice el policía de los fósforos.

—El agua nos va llegar hasta aquí —dice el otro policía, sacando una mano de bajo el capote y pasándosela por la garganta.

—Tienen que seguir derecho por el bulevar y no doblar hasta la avenida del oeste —dice el de los fósforos—. Después siguen al sur derecho y van a ver el mercado.

—Están todos mojados —dice el otro policía.

—Sí —dice Rogelio.

Saludan y suben a la chata y se sientan en el travesaño del pescante. Rogelio hace cimbrar la vara por sobre las cabezas de los caballos. Los caballos comienzan a andar. Los policías permanecen uno a cada lado de la puerta, separados por el chorro de luz débil. Después quedan atrás. El carro resuena sobre el asfalto y por un momento atraviesa una zona de completa oscuridad en la que no hay ni siquiera relámpagos, y en la que una curva pronunciada, flanqueada de matorrales, se endereza de pronto y los enfrenta a la hilera de luces rectas, cercana como al alcance de la mano, y los conduce derecho a la boca del puente colgante. Sobre sus altos mástiles dos luces rojas se encienden y se apagan con regularidad. Wenceslao alza la cabeza y las mira. Los caballos entran en el puente desierto. Los cascos hacen retumbar la plataforma de madera y la chata pasa por los puntos iluminados del puente llenándose ella misma de luz por un momento y penetrando después en una tenue oscuridad. Debajo corre un agua negra que los relámpagos muestran agitada como si a ras del agua estuviese soplando un viento más intenso que la brisa leve que les golpea la cara. Después dejan atrás el puente y el río y entran en la ciudad, agolpada sobre el agua en la costanera. La hilera de luces de la costanera también queda atrás; ahora se extiende ante ellos una línea larga de puntos luminosos que se reflejan en una calle recta, lisa y mojada. El carro avanza por el bulevar. Pasan frente a la estación de trenes —la fachada alta y las grandes puertas iluminadas— y después la dejan atrás. Hay gente parada en la puerta de un bar, mirando la calle, y en el momento en que el carro va a cruzar la bocacalle, de la oscuridad sale un hombre que salta un charco y va como rebotando por la vereda y después entra en el bar, mientras los que están parados en la puerta se separan y le abren paso. Dejan atrás también el bar. El rastro de la lluvia es visible a lo largo del bulevar: el asfalto mojado que reluce, los charcos en las veredas, la fronda lavada y brillante y como reverdecida de los árboles, el tendal de flores lilas y amarillas aplastadas contra el pavimento que los cascos de los caballos machacan, los frentes de los edificios manchados de humedad, la gente apretujada contra las ventanas de los bares, mirando la calle. El carro avanza cada vez más despacio, como si los caballos estuviesen consumiendo sus últimas fuerzas. De golpe se inquietan, forcejean en desorden y por fin se paran. Rogelio agita las riendas y les golpea con suavidad los lomos pero no se mueven. Apenas si se sacuden, sin inquietud. Hasta el pescante sube su olor cálido, peculiar, en ráfagas suaves. Wenceslao puede percibirlo. Rogelio hace cimbrar y silbar en el aire la vara de paraíso. Wenceslao baja y se inclina ante la pata delantera del rosillo: el animal sacude con suavidad la cabeza y su olor llena de golpe la respiración de Wenceslao. Se acuclilla y alza la pata delantera, observándola.

—Ya no da más —dice, mientras se incorpora.

—La putísima madre que lo recontra cien mil parió —dice Rogelio, suavemente.

Ata las riendas y baja y se inclina junto al caballo alzándole la pata delantera y observándosela. Por un momento el conjunto queda tan inmóvil —chata, caballos, hombres— que parece su propia representación en piedra, en medio de un paseo público.

—Si vendemos la sandía lo hacemos herrar mañana a la mañana, antes de volver —dice Rogelio.

—No se va poder herrar en estas condiciones —dice Wenceslao—. Si casi no le queda vaso.

—Podemos vendárselo —dice Rogelio.

—Sí —dice Wenceslao—. Haciéndole una bota de trapo capaz camine.

—Capaz —dice Rogelio.

Va al cajón del pescante y vuelve con las manos vacías.

—No hay ningún trapo —dice.

Se queda a cuidar el carro mientras Wenceslao cruza de vereda y toca el timbre en una casa en la que se ve luz a través de una ventana. Por una mirilla de la puerta asoman dos ojos que se clavan en él. Wenceslao comienza a explicarles que necesita una camisa vieja. "No tengo", dice una voz áspera de mujer. Consigue una y un hilo dos casas más allá, sobre la misma vereda. Es un viejo en traje pijama el que se la da, y lo sigue hasta la chata y se para a mirar mientras Rogelio envuelve cuidadosamente la pata del caballo con la camisa y la ata después con el hilo. Suben a la chata y comienzan a alejarse. El viejo queda inmóvil, las manos metidas en los bolsillos del saco pijama, parado en medio del círculo de luz arrojando una sombra corta sobre las flores lilas y amarillas aplastadas contra el pavimento. Se aproximan al edificio de la universidad, lleno de ventanas cegadas con celosías verdes; pasan delante de ellas y van dejándolas atrás, una por una, hasta que llegan a la otra bocacalle y la universidad entera queda detrás de ellos, alejándose cada vez más. Con una diferencia de segundos, el más cercano primero, el otro después, dos relojes comienzan a hacer sonar sus campanadas. Wenceslao cuenta doce en cada uno, llevando la cuenta sobre el primero y registrando en seguida las campanadas del segundo como si fuesen su eco, verificándose a lo lejos con una suavidad nítida. Apenas suena la última campanada del segundo reloj vuelve a llover, apagadamente, y las gotas golpean frías en la cara de Wenceslao, con impactos espaciados que van haciéndose cada vez más frecuentes y más rápidos. Al fin llegan a la punta del bulevar y doblan detrás de un tranvía iluminado que lleva una marcha ruidosa y llena de vacilaciones y sin embargo se pierde delante del carro, en medio de la avenida, atravesando una techumbre de árboles como si fuese un túnel oscuro. Después de unos minutos no lo ven más. Cuando llegan al mercado ha vuelto a dejar de llover. Hay tantos carros —llenos de sandías, choclos, melones, tomates, calabazas— que tienen que estacionar en una transversal oscura, empedrada, debajo de unos paraísos, a dos cuadras del mercado. Rogelio baja y va hasta el mercado y Wenceslao se echa a dormir sobre las sandías; están mojadas pero no más que él, porque el agua ha resbalado sobre sus cáscaras lisas; y están frías y sus protuberancias se clavan en los riñones de Wenceslao cuando se echa bocarriba y mira el cielo en el que los relámpagos muestran de tanto en tanto unas nubes espesas y como doradas. Después cierra los ojos y se queda dormido. Lo despierta Rogelio, sacudiéndolo. Abre los ojos y lo ve acuclillado sobre el pescante, inclinado hacia él.

—No las quieren ni regaladas —dice Rogelio.

—¿Nadie? —dice Wenceslao.

—Hay un hombre que dice que va ver más tarde, si es que unos que iban a traérselas no pueden llegar por el agua —dice Rogelio. Tiene un paquete de cigarrillos y una caja de fósforos en la mano. Le da uno a Wenceslao y saca otro para él. Wenceslao termina de incorporarse y se sienta. Rogelio enciende los dos cigarrillos.

—¿Dormiste? —dice.

—Sí —dice Wenceslao—. Un ratito.

—Son más de las dos —dice Rogelio, riéndose.

—¿Más de las dos? —dice Wenceslao—. Me pensaba que no había pasado ni un cuarto de hora.

—Estuve en un boliche —dice Rogelio. Se sienta en el pescante y como no encuentra posición cómoda se estira completamente, bocarriba; sus piernas cuelgan fuera de la chata—. Hay que esperar hasta las cuatro —dice.

—Maldita la hora que arrendamos y nos pusimos a sembrar —dice Wenceslao.

Después fuma en silencio. Todavía refucila pero se ve una porción de cielo estrellado, brillante. Cuando lo arroja, el cigarrillo describe un arco rojizo en el aire y cae al suelo. Dos hombres pasan caminando rápido por la vereda, hablando en voz baja, en dirección al mercado. Uno de ellos lleva bajo el brazo un paquete envuelto en papel de diario. Wenceslao oye todavía sus voces cuando desaparecen en la vereda negra, pero ya son inaudibles sin embargo cuando cruzan la esquina en diagonal y pasan gesticulando bajo el farol. Después vuelven a desaparecer en la oscuridad, en la vereda de enfrente. Rogelio ronca recostado, respirando rápidamente. Wenceslao vuelve a recostarse, esta vez de lado, y vuelve a dormirse. Cuando se despierta permanece sin incorporarse, con los ojos cerrados, oyendo los ronquidos de Rogelio que después tose, bruscamente. Wenceslao se sienta sobre las sandías. El cielo está todavía más limpio y más brillante, y ahora apenas si refucila. Wenceslao busca los cigarrillos en el pescante y Rogelio se despierta de golpe y se sienta cuando lo toca.

—Quería un cigarrillo —dice Wenceslao.

—No —dice Rogelio—. Si ya me despertaba.

—Roncabas —dice Wenceslao.

—Vamos a tomar una copa —dice Rogelio. Su voz suena ronca. Tose después de hablar.

Wenceslao enciende un cigarrillo.

—Qué hacemos, digo yo —dice—, si ese hombre no nos compra la carga.

—No, si la va comprar —dice Rogelio.

Bajan de la chata. Rogelio se acomoda la ropa húmeda. Mete la mano en el bolsillo del pantalón, con gran cuidado, y saca un billete húmedo.

—Me queda un peso —dice.

—Yo tengo unas chirolas —dice Wenceslao.

Lleva los cigarrillos y los fósforos en la mano, para no humedecerlos.

—Están pagando a cuarenta pesos el cien —dice Rogelio—. Anoche pagaban eso.

Wenceslao lanza una mezcla de risa y suspiro.

—Buen precio —dice.

Entran al bar —un recinto cuadrado, lleno de humo, en el que los carreros conversan en voz alta y gritan y el dueño es un hombre gordo que masca sin parar un toscano de tres centímetros de largo y arruga la cara por los efectos del humo— y se acodan en el mostrador. Hay un viejo reloj en la pared; marca las tres y cuarto. A las cuatro han tomado tres cañas cada uno. Salen. Wenceslao vuelve al carro mientras Rogelio se dirige al mercado. Vuelve a los diez minutos con un hombre calvo y pálido, en mangas de camisa. Tiene las mejillas hinchadas.

—No quiere pagar más de veinticinco pesos —dice Rogelio.

El hombre da un rodeo alrededor del carro y mira las sandías.

—Para que no se tengan que volver con la carga —dice, regresando.

—Están pagando arriba de cuarenta —dice Wenceslao.

—El que necesita. Yo no necesito —dice el hombre.

Wenceslao mira a Rogelio.

—Vendamos a alguno que necesite —dice.

—Sí —dice el hombre—. Vayan y vendan, si pueden.

Saluda y se va. Wenceslao lo ve alejarse por el medio de la calle, hasta que se pierde en la oscuridad —apenas si su camisa blanca refulge un momento y después se borra— y reaparece bajo el farol de la esquina y vuelve a desaparecer en la oscuridad de la otra cuadra.

—Andá mirar si encontrás otro comprador —dice Wenceslao.

—¿Y si no encuentro? —dice Rogelio.

—Hacé lo que mejor te parezca, entonces —dice Wenceslao.

Venden a veinticinco. Cuando terminan de descargar son más de las seis; ha amanecido. Antes de regresar, deben renovarle la venda al rosillo que se empecina en no caminar. Rogelio habla con él, palmeándolo suavemente en el cuello y en el hocico, y por fin salen. Llegan otra vez al bulevar, pasan delante de la universidad, de la estación de ferrocarril, lo dejan atrás, entran en el puente colgante. Los cascos de los caballos retumban contra el maderamen. En el cielo no hay rastro de la tormenta y el asfalto está seco, pero la banquina ha quedado barrosa y está llena de charcos; pasan delante de la garita de la caminera: hay un solo policía, pero no es ninguno de los de la noche anterior. De a ratos avanzan por el asfalto, pero cuando notan que el rosillo comienza a vacilar desvían hacia la banquina. El sol sube ardiente. Más allá de Rincón, alrededor de mediodía, paran en un boliche a tomar una botella de vino y a comer un poco de queso y mortadela. Toman un vino frío, tinto, y comen un queso fuerte que a Wenceslao le hace picar la lengua. Después suben a la chata y siguen hacia el norte. El sol de mediodía destella sobre sus cabezas, en un aire lavado, y el balanceo de la chata hace que durante la última parte del trayecto Wenceslao se duerma, se despierte y se vuelva a dormir. El asfalto termina bruscamente y se internan en el camino aterraplenado, lleno de charcos y entrecruzado de huellas horizontales. Cuando bajan por fin del terraplén y bordean el monte de eucaliptos para retomar el camino recto hacia la casa de Rogelio, el sol declina de un modo imperceptible detrás de ellos. Wenceslao no se detiene en lo de Rogelio ni un momento. Baja de la chata y se dirige al río. Sube a la canoa verde y comienza a remar con lentitud firme. La superficie del agua está lisa y la canoa va dejando unas rayas paralelas que van separándose hasta borrarse. Pasa delante de su propio rancho y sigue remando. Alcanza a divisar el techo de paja semioculto por los árboles: fragmentos de un manchón amarillento visibles entre los intersticios de las hojas verdes y brillantes lavadas por el agua de lluvia. Rodea la isla en la que está su casa y se interna en una maraña de riachos y arroyos, la canoa se aproxima al montículo verde de la isla central; no debe tener ni cinco cuadras de diámetro. La vegetación baja e intrincada va haciéndose menos pareja y homogénea a medida que la canoa se aproxima. Cuando la embarcación toca la costa, Wenceslao deja los remos y salta a tierra. Lleva en la mano un cuchillo envainado que ha sacado del fondo de la canoa. Avanza trabajosamente por el sendero que él mismo ha abierto entre las enredaderas, los yuyos y las ramas. Avanza hacia el centro de la isla: la cima achatada del montículo verde. La isla se extiende alrededor de su centro, hace girar círculos concéntricos, verdes, a su alrededor, y los bordes están apretados por un anillo de agua, grueso. Isla y agua están, a su vez, dentro de otro anillo, el del verano, que asimismo está dentro del gran anillo del tiempo. En el núcleo de la isla Wenceslao se para y mira a su alrededor, buscando un lugar. Cuando lo divisa se aproxima y se acuclilla junto a él: es un metro cuadrado de tierra limpia, a cuyo alrededor hay ramas rotas y en cuya superficie pueden verse unas raicitas ralas y unos tallitos blancos y lisos de un centímetro de altura, que rematan en dos hojitas de un verde claro, aterciopelado. Wenceslao mira el espacio con atención, fijamente; la lluvia de la noche anterior ha caído sobre él, golpeando las raicitas y los brotes; muchos de ellos están aplastados, y si bien a los costados el claro se mantiene liso, asentado por el agua, en el centro, aplastando las raicitas y los brotes y hundiendo la tierra que el agua ha penetrado, deshaciéndola, hay tres marcas profundas, regulares, idénticas, a no ser porque la del medio, si bien parece el calco de las otras dos, se halla invertida respecto de ellas: sólo no habiendo visto un par de botas en toda su vida Wenceslao hubiese sido incapaz de adivinar que se trata de huellas humanas.

Amanece

y ya está con los ojos abiertos

Se ha despertado, vistiéndose y saliendo del rancho, en el amanecer, ha tomado mate y conversado con ella en el patio delantero mientras ella hilvanaba franjas de luto sobre el borde del bolsillo de su camisa, ha cruzado el río en la canoa amarilla de Rogelio acompañado del hijo de Agustín, llevando una canasta de brevas y limones para la familia de Rogelio, ha visto a Rogelio descabezar y dividir un pescado y ha ido con él, pasando primero por el rancho de Agustín, al almacén de Berini, y ha llegado justo en el momento en que Berini empujaba a Agustín y ha visto cómo Berini levantaba a Agustín bajo la mirada de Rogelio y después cómo Rogelio invitaba a Agustín a tomar una copa en el mostrador del propio Berini, y después ha vuelto al rancho de

Rogelio en compañía de sus dos concuñados y se ha sentado en la cabecera y ha comido y tomado vino hasta que llegaron las hijas de Agustín con una amiga de la ciudad —las tres manchas: azul, verde, colorada— y les sacaron fotografías.

Está mirando la nuca de Agustín, que le da la espalda, vuelto hacia la puerta del rancho que la Negra abre en este mismo momento, la Negra, cuya blusa de seda amarilla brilla y cuya pollera multicolor pegada a las nalgas se estira y se pone tensa cuando su pierna derecha se adelanta y atraviesa el hueco de la puerta que al abrirse ha dejado ver, resaltando entre la blancura de las paredes, la penumbra interior. En el patio no hay nadie más: quedan únicamente la mesa vacía y las sillas y los bancos que la rodean en desorden. Contra la pared, vacías, están las sillas que han ocupado los viejos, una al lado de la otra, los respaldares para el lado de la pared y los asientos hacia Agustín y Wenceslao. Agustín está entre Wenceslao y la Negra, los tres vueltos en dirección a la puerta: Agustín descalzo, el sombrero inclinado hacia adelante, las piernas abiertas y las manos metidas en los bolsillos del pantalón de color indescifrable; la Negra moviendo la pierna, inclinándose hacia adelante mientras su pollera multicolor se pone tensa y se ciñe todavía más a sus nalgas. Wenceslao mira la nuca de Agustín, cuyos tendones emergen de un borbotón de pelo negro para desaparecer bajo el cuello de la camisa, y en ese momento la Negra mueve la otra pierna, distendiendo por un momento la pollera multicolor y volviendo a estirarla otra vez en sentido opuesto, y entra en el rancho cerrando la puerta detrás suyo. La puerta es vagamente gris, de textura árida, llena de rayas protuberantes, verticales. Agustín se da vuelta y ve a Wenceslao. Desvía la mirada.

—Se han ido todos a dormir, cuñado —dice.

—Sí —dice Wenceslao.

Agustín mira la mesa vacía.

—No han dejado ni una botella de vino —dice.

—Se las han llevado a todas —dice Wenceslao.

—Tengo sed —dice Agustín.

Wenceslao se echa a reír y sacude la cabeza en dirección al río que desde allí no se ve; en dirección al rancho, al patio trasero, al claro que está después, y al montón de árboles que separan el terreno del agua.

—Allá hay mucha agua —dice.

Agustín no se ríe; se aproxima; mira a su alrededor.

—Hace calor, cuñado —dice—. A uno se le seca la boca.

Tiene las manos en los bolsillos y el sombrero le hace sombra sobre la cara, pero en medio de la sombra los ojos brillan húmedos; tienen un brillo empañado, un fulgor débil.

—Hace falta un vaso de vino, cuñado —dice Agustín.

Wenceslao siente contra su espalda la corteza seca y rugosa, llena de resquebrajaduras, de protuberancias y de hendiduras, del árbol contra el que está recostado. No hay ni dos metros de distancia entre él y Agustín.

—Ésta es una vida fea, cuñado, sin un vaso de vino —dice Agustín—. Todos te vienen a manosear. Te sirven un vaso, por compromiso, y después se llevan la botella.

—No hablés al pedo, Agustín —dice Wenceslao—. No empecés a hablar al pedo ahora.

Agustín resalta contra la pared blanca; está del lado de la sombra. Después el sol irá cayendo detrás de los árboles, volviéndose cada vez más rojo, más grande y más débil, hasta desaparecer, persistiendo al principio como una mancha morada detrás de las hojas negras, lisas, y cuando se haga de noche las paredes blancas del rancho se enfriarán y emitirán una fosforescencia lunar móvil, blanquecina. A dos metros de distancia el cuerpo de Agustín resalta contra la pared blanca y está inmóvil. Wenceslao lo contempla. Se yergue y deja de sentir el contacto de la superficie áspera por encima de la camisa.

—Andá dormir —dice.

Se adelanta y pasa junto a Agustín en dirección a la

parte trasera de la casa. Aunque al pasar casi roza con su cuerpo el cuerpo de Agustín, éste ni siquiera se mueve. Wenceslao dobla por el costado del rancho, pasa junto a la bomba y llega al patio trasero. Los hijos mayores de Agustín y el hijo de Rogelio juegan a los naipes en la mesa. Tienen una botella de vino y en el momento en que Wenceslao pasa, el Segundo, que tiene un bigotito blando que le cae por las puntas del labio superior, achinado, está tomando un trago de vino del pico. Después deja la botella sobre la mesa; juegan hablando en voz baja y emitiendo risas ahogadas. Wenceslao pasa junto a ellos y saliendo del patio trasero camina por el sendero que conduce al río. Su sombra lo precede.

Dobla a la izquierda antes de llegar a la costa y se interna entre los árboles. Camina con gran lentitud. Unas verbenas rojas, diminutas y brillantes, se quiebran y quedan aplastadas contra el pasto cuando las pisa con las alpargatas negras. Avanza unos doscientos metros entre los árboles y después se detiene; mira a su alrededor, se desabrocha los pantalones y los calzoncillos, se los baja hasta las rodillas, se acuclilla y comienza a defecar. Después se incorpora, saca un pedazo de papel de diario del bolsillo del pantalón, con alguna dificultad, se limpia, lo arroja sobre el excremento, cubriéndolo en parte, y vuelve a subirse los calzoncillos y los pantalones, abrochándoselos. Cuando termina de abrochar la hebilla del cinturón de cuero y meter la punta del cinturón en el pasacinto se golpea, suavemente con la yema de los dedos, el vientre y la cintura. Después se dirige al río, dejando atrás los árboles y atravesando una franja estrecha de tierra lisa que acaba de un modo brusco en un borde comido por el agua y a medio desmoronar, y se inclina lavándose las manos. Alza ligeramente la cabeza y mira el centro del río sin prestarle ninguna atención, y después se incorpora y vuelve a internarse entre los árboles, sacudiendo las manos en el aire para secárselas pasándoselas al fin por los flancos del pantalón. No vuelve en línea recta, repitiendo a la inversa el camino recorrido desde el sitio en que ha defecado hasta el agua, sino oblicuamente, abriéndose paso en dirección a la casa, hasta que se interna otra vez entre los árboles y sus alpargatas comienzan a chasquear de nuevo contra los pastos. Avanza hasta que empieza a ver fragmentos de la construcción de Rogelio entre las hojas, a unos cincuenta metros. Por entre los huecos de la fronda brillante se divisan porciones de las paredes blanqueadas, que relumbran, y los manchones amarillentos del techo de paja. Los algarrobos y los sauces y los aromitos forman un círculo casi perfecto, con una techumbre intrincada de ramas verdes bajo cuya sombra el pasto aparece ralo y crecido a una altura pareja, como si hubiese sido cortado a máquina. Se detiene y se deja caer, bocarriba. Después se da vuelta y se acomoda sobre el costado derecho echándose el sombrero de paja sobre los ojos y estirando el brazo izquierdo a lo largo del cuerpo. Dobla el brazo derecho y apoya en él la cabeza. Cierra los ojos. Le parece escuchar la risa apagada de los hijos de Agustín y de Rogelito que juegan a las cartas en el patio trasero. No sabe si en realidad ha soñado o si únicamente ha imaginado oírla. Con los ojos cerrados "ve" a los tres muchachos sentados alrededor de la mesa larga, alzando de vez en cuando y por turno la botella de vino y tomando un trago del pico; "ve" cómo el líquido oscuro, lleno de reflejos morados, disminuye en el interior de la botella de vidrio verde, y cómo la botella pasa de una mano a la otra y después queda inmóvil sobre la mesa; la "ve" temblar ligeramente cuando alguno de los muchachos, el hijo de Rogelio, a cuyos lados los hijos de Agustín se mueven y se ríen de un modo borroso, deja caer una carta golpeando primero la mesa con los nudillos y soltando la carta después; "oye" el golpe de los nudillos sobre la mesa, y los gritos y las risas que lo acompañan. Después es el Segundo, el menor de los dos varones mayores de Agustín, el que comienza a moverse y a juntar las cartas y a mezclarlas, y los otros dos los que se vuelven borrosos, como si cambiasen alternativamente de lugar pasando a ocupar uno por vez un núcleo más iluminado, más brillante (el hueco entre la fronda de los paraísos y la luz circular proyectada sobre el suelo cerca de la puerta del rancho) y alternándose, no sólo las personas, sino también las cosas: la botella de vino, las barajas, un cigarrillo a medio consumir apoyado sobre el borde de la mesa, humeando; y como si ese núcleo, ese círculo, fuese móvil y errabundease iluminado y dando nitidez a detalles mínimos del conjunto. Pero ahora le parece oír de verdad las voces y las risas mezcladas a los crujidos secos y a los roces del sombrero de paja que suenan y se esfuman de golpe contra su oído. Unos pájaros vuelan y aletean y comienzan a chillar, en la altura, entre los árboles. También eso se oye con claridad. Abre los ojos y ve los diminutos filamentos de luz que se cuelan a través de las hendijas del tejido de paja del sombrero. Son unas rayas delgadas de luz que acaban con un destello en cada extremo. Cierra los ojos, respirando con un ritmo lento, preciso, acompasado. Ahora son las partes borrosas del conjunto lo que "ve" —los muchachos, el mazo de naipes, las barajas con las figuras vueltas hacia arriba sobre la mesa, la botella de vino a medio vaciar, el cigarrillo consumiéndose y emitiendo una débil columna de humo azul— como si el núcleo brillante se hubiese empañado, empastando y borroneando las figuras, y los sonidos borrosos lo que "oye", pieles quemadas por el sol que se convierten en manchas, rostros y expresiones que pierden significado y se vuelven confusos y lejanos, sonidos que se deforman apagadamente, escamoteando palabras o sustituyéndolas por otras que no tienen sentido, hasta que el hueco brillante y transparente se enciende otra vez y lo muestra corriendo, atravesando el patio delantero en dirección al río, con el pantaloncito azul descolorido y la piel tostada, el pecho atravesado por los listones regulares de las costillas, y después desaparece; el lugar brillante queda vacío y en silencio por un momento hasta que en su interior resuena la explosión de la zambullida. Ahora está el agua vacía, lisa, sin una sola arruga en la superficie, en completo silencio, hasta que de golpe comienzan las sacudidas, el ruido de los chapuzones y de los pataleos, los golpes profundos y sonoros y el collar de espuma lechosa que provocan, la columna de salpicaduras veloces que se levanta por encima del río y después desaparece, pero nadie produce el tumulto, no se ve nada sobre el agua ni dentro de ella, por más que busque y mire cuidadosamente el centro del fragor que acaba de golpe, como ha empezado. La brusquedad del silencio es todavía más insoportable: no hay nada más que el agua lisa otra vez, sin una sola arruga en la superficie, sin siquiera los círculos concéntricos cada vez más débiles y más amplios que van a desaparecer en las orillas más secretas y que producen los cuerpos al caer al agua; nada, excepción hecha del agua lisa y de la mirada empavorecida que espera inclinándose cada vez más hasta casi tocar el agua, hasta que el burbujeo ligero comienza, lento y diminuto, y se ve aparecer esa mancha de piel tostada, el fragmento combo del cuerpo que flota, hundiéndose y reapareciendo, con gran lentitud, lavado por el agua, liso, como la convexidad de una boya que por momentos logra vencer la presión y emerger y a la que el agua cubre a veces en su vagabundeo. La mirada retrocede, con violencia, permanece un momento inmóvil y después se inclina otra vez, con precaución y miedo, con enviones breves de aproximación. Va a producirse el reconocimiento: el fragmento de piel tostada, la convexidad lisa que se muestra vagamente humana, sin precisión —puede ser la espalda, un hombro, el pecho, un fragmento de nalga, una rodilla— el vagabundeo caprichoso y lento, la inmersión y la aparición, en el centro del agua, en pleno silencio, se organizan de golpe, para revelarlo todo, en un relámpago de evidencia que sin embargo se esfuma una y otra vez, y el ascenso hacia el reconocimiento debe recomenzar, trabajoso y pesado, como un río que fluye para atrás y comienza a recorrer a la inversa su cauce en el momento mismo de llegar a la desembocadura. Por momentos alcanza esa precisión estéril de lo que no obstante no puede ser nombrado; una precisión que no es propiamente comprensión ni tampoco, desde luego, lenguaje. Se trata de una certidumbre terrible pero informulable, y mientras quede al margen de esa formulación el reconocimiento quedará en suspenso. Entonces entra en el agua: es viscosa, negra, pesada, tibia, enemiga. Se ciñe a sus rodillas, humedeciéndolas, y él se inclina, va a acuclillarse, pero siente que el agua penetra a través de su pantalón y le moja los testículos y el culo. Permanece un momento como sentado sobre el agua, viendo enfrente la zona tersa y la convexidad lisa flotando lenta en ella, sin siquiera formar una burbuja o una arruga en la superficie. Mantiene los brazos —tiene brazos— en alto, para no mojárselos, preparado para saltar, sintiendo el agua empapar las partes inferiores de su cuerpo, porque también tiene un cuerpo. Entonces empieza la cacería. Cada vez que la cosa lisa emerge, él se zambulle detrás de ella, queda un momento como ciego, bajo el agua, y reaparece con las manos crispadas, en actitud de aferrar algo, dos garras infructuosas agarrándose una a la otra y la cosa reapareciendo más allá, intacta y fluctuante, en su actitud de abandono errabundo. Se sumerge dos o tres veces sobre ella y las dos o tres veces sale a la superficie dando cabezazos rápidos con los ojos cerrados y comprobando al abrirlos que toda la zona de agua lisa, el círculo aceitoso en medio del cual el órgano irreconocible fluctúa, se ha corrido unos metros más, alejándose de él y de la orilla; por fin se yergue, toma aliento, respirando hondo dos o tres veces, y comienza a avanzar dando pasos tan suaves que el agua, que le llega casi al cuello —porque tiene un cuello—, apenas si se mueve. Lleva los brazos en alto, por encima de la cabeza. Entra en el círculo de agua lisa; la cosa está ahí; se detiene. Con los brazos en alto, inmóvil, ve cómo, boyando, entrando y saliendo del agua con impredecibles y lentas intermitencias, la cosa se aproxima a él y casi lo toca. La deja sumergirse una vez y cuando advierte que está a punto de reaparecer —hay una agitación levísima en la superficie—

se arroja sobre ella. El resto pasa en la terrible oscuridad, bajo el agua negra. Su cuerpo está metido en el agua como una cuña que abriese un hueco en el que no hay lugar más que para uno solo. Ahora ha aferrado la cosa y siente que es un cuerpo desnudo que lucha con el suyo, un torbellino de brazos y piernas, respiración muda y golpes ciegos, y puede palpar la cara y la cabeza, el pelo mojado y los ojos y la boca apretados. El cuerpo trata de arrastrarlo hacia el fondo del río, hacia el lecho de oscuridad barrosa, y entonces las manos palpan el cuello y comienzan a cerrarse sobre él. Las manos —porque tiene manos— aprietan durante un minuto o más, y las sacudidas del cuerpo, primero enloquecidas, furiosas y violentas, van haciéndose cada vez más débiles y espaciadas, menos tensas, hasta detenerse. Ahora no siente más que un peso muerto que cuelga de sus manos y que la corriente tiende a elevar y a arrastrar río abajo. Queda un momento inmóvil, en medio de esa oscuridad líquida, hasta que por fin suelta el cuello y el cuerpo se separa de él con un último sacudón apagado. Sale a la superficie de cara a la orilla. No ha habido reconocimiento aunque sí certidumbre. Pero una certidumbre sola, vacía, sin comprensión, que no sabe de qué es certidumbre. Sabe que no debe mirar para atrás; dos o tres veces está tentado de volver la cabeza, en medio de esa luz brillante que cae recta sobre el río —es mediodía—, pero tiene miedo de ver otra vez el fragmento de piel tostada errabundeando en silencio en la superficie del agua lisa; cuando llega a la orilla, chorreando agua, se da vuelta; dos o tres veces le parece ver algo, impreciso, ubicuo, flotando. Jadea y tiembla.

Las rayas delgadas de luz acaban con un destello en cada punta. Se oyen ruidos empastados, insignificantes. Algunas rayas luminosas son verticales y otras horizontales y sus destellos, diminutos, están inmóviles en medio de esa penumbra cálida. La paja cruje con estallidos secos, súbitos, cortos, contra el oído. Los ruidos insignificantes y empastados suenan más lejos, parecidos a voces y chasquidos de hojas y de ramas quebradas. Primero percibe su confusión, después su distancia, después su relación con los crujidos secos que estallan según el movimiento de su respiración y la tensión y distensión de su cuerpo, contra el oído. Se da vuelta y queda echado de espaldas; el sombrero cae hacia atrás y en lugar de las rayas de luz aparecen penachos de ramas brillantes inmóviles, sobre los que la claridad resbala; los huecos de la fronda, si bien dejan iluminar oblicuamente el interior del ramaje apretado, no permiten sin embargo que la luz llegue al suelo. Entrecierra los ojos y la fronda desaparece; quedan en su lugar unas manchas rojizas, móviles, y los estratos lejanos de ruidos, parecidos a voces y a chasquidos de hojas y ramas. Manteniendo los ojos cerrados palpa el suelo con la palma de la mano, cerca de la cabeza descubierta, hasta que sus dedos tocan el sombrero y lo levantan, depositándolo sobre la cara. Abre despacio los ojos y ve otra vez las listas de luz con un destello en cada punta, horizontales y verticales según la dirección de la paja tejida, en medio de la penumbra cálida y olorosa rodeada por un resplandor circular que se cuela por el borde del ala del sombrero. Ha estirado los brazos en el suelo, separados del cuerpo. Ahora no "ve" más que la noche, con luna llena, las ramas negras de los árboles superpuestas a la oscuridad más tenue, plagada de luz lunar, y las paredes blancas fosforesciendo entre las hojas, ásperas, con resplandores que nimban sus bordes y se corren manchando la oscuridad. Las voces se vuelven más nítidas: una voz femenina, ronca, y una voz de hombre joven que resuenan en dirección opuesta a la casa. Parecen aproximarse. Wenceslao nota que ha sudado mucho y que tiene la camisa pegada al cuerpo. Con la punta de la alpargata izquierda empuja hacia abajo el talón de la alpargata derecha, descalzándola, y después la empuja hacia adelante sacándola del pie; hace la misma operación en el otro pie y después apoya los talones sobre las alpargatas, que han caído una junto a la otra, alineadas. Las voces se aproximan; suenan desnudas, claras, pero las palabras que dicen se pierden, no producen más que una cadena de sonidos, planos, achatados, monótonos, que difieren por el tono, el registro y el acento y la peculiaridad de sus dueños, y Wenceslao puede notar lo más bien el cambio de voz a voz, distinguiendo también una risa de otra. De golpe están tan cerca que Wenceslao se incorpora de un salto y queda sentado, con el sombrero en la mano, porque ha pensado que sus dueños están ya en medio del círculo de árboles. Pero se han detenido más allá, en dirección contraria a la casa, pasando el lugar en el que está Wenceslao, y ahora puede oír no únicamente el sonido sino también las palabras. Wenceslao oye primero lo que dice la mujer.

—Aquí no. No. Aquí no —dice.

—Es un ratito nomás. Un ratito —dice el hombre.

—Te digo que no —dice la mujer.

—Rápido. Si no viene nadie. Rápido —dice el hombre.

Wenceslao oye murmullos y chasquidos de ramas que se aplastan y se quiebran. Su expresión se ha vuelto alerta. Rápido, sin hacer ruido, se calza las alpargatas y se pone el sombrero, y después comienza a gatear en dirección a las voces.

—Cuidado. No. En el suelo. No —dice la mujer.

—Aquí, dejame. Aquí. Dejame. Sí. Un poco —dice el hombre.

—La ropa no —dice la mujer—. No. La ropa no.

—Si no viene nadie —dice el hombre.

Las voces, que suenan superpuestas y rápidas, llenas de recelo y mezcladas a una respiración veloz, dejan de oírse por un momento. Queda una pared de ruidos confusos, apagados, plagados de gritos agudos. Wenceslao trata de ver algo entre las hojas, pero no alcanza a divisar más que unas manchas azules. Alza la mano y separa las ramas sin hacer ruido: ahora puede distinguir con claridad a la mujer, porque se halla casi frente a él, apoyada contra un árbol, pero no al hombre, porque da la espalda a Wenceslao y está apretado contra la mujer, contra su pecho. La cara de la mujer emerge por encima de su hombro; tiene los ojos cerrados y parece pálida y Wenceslao reconoce a la amiga de las hijas de Agustín. El hombre se separa un poco de la mujer, sacudido por un brusco empujón de ésta que apenas si alcanza a conmoverlo, como si se separara más por decisión propia que por efectos de la sacudida, y entonces Wenceslao ve que la mujer tiene toda la blusa azul eléctrico desabrochada y el corpiño a la altura del vientre, de modo que sus tetas oscuras, acabadas en dos perfectos círculos marrones, cuelgan libres, al aire; las tazas del corpiño están erectas en el vientre, como si allí tuviese dos tetas más. El hombre vuelve a arrojarse sobre ella, sin violencia. No tiene camisa, y las manos de la mujer se aferran a su espalda.

—No. No —dice la mujer—. Aquí no. Esta noche. Ahora no.

El hombre murmura algo que Wenceslao no puede oír y después se inclina y comienza a chupar uno de los pezones. La mujer le da golpecitos rápidos y suaves con el puño cerrado, entre los omóplatos. Sus golpes empiezan a volverse cada vez más lentos. El hombre hace un brusco movimiento de cabeza y cambia de pezón. La mujer vuelve a empujarlo. El hombre se vuelve ligeramente y Wenceslao reconoce al Chacho, el mayor de los varones de Agustín. De su bragueta asoma el pene, rojo y erecto, y Wenceslao lo ve fugazmente porque el Chacho se da vuelta otra vez, dando la espalda a Wenceslao, y se aprieta otra vez contra la mujer. Comienza a alzarle la pollera colorada.

—Es un momento. Un momento nomás —dice.

—Esta noche vamos a estar más tranquilos —dice la mujer, pero no se resiste.

Su voz suena resignada. Abre las piernas afirmándose contra el árbol. Ella misma ayuda al hombre a subir la pollera colorada hasta la cintura, haciendo con ella un rollo que sostiene las caderas huesudas. Cuando ella comienza a bajarse los calzones negros el hombre se hace a un lado y la contempla; al deslizarse por los muslos ahora juntos, los calzones dejan ver por fin la protuberancia velluda del sexo. La

mujer se agacha, y alzando la pierna derecha desliza el calzón por detrás del taco y deja la pierna libre. El calzón cae,
enredado en el tobillo izquierdo. La mujer se prepara,
abriendo las piernas y afirmándose de espalda contra el árbol. De pronto alza la mano.

—Dame primero lo que me dijiste —dice.

El Chacho vacila.

—No tengo más que quinientos —dice.

—Me dijiste mil —dice la mujer.

—No tengo más —dice el Chacho.

—Bueno —dice la mujer—, dame los quinientos.

El Chacho saca unos billetes del bolsillo y los cuenta,
extendiéndoselos. La mujer los cuenta a su vez y los hace un
rollo, apretándolo con fuerza en el puño izquierdo. Después
vuelve a acomodarse, abriendo las piernas y afirmándose
contra el árbol. Se escupe las yemas de los dedos de la mano derecha y se frota el sexo con ellas. El Chacho se adhie-
re a su cuerpo: incrusta la rodilla entre las piernas y trata
de abrirlas más, y después abre también las piernas y trata de
que su cuerpo coincida milímetro a milímetro con el de la
mujer; se yergue un poco, quedando casi en puntas de pie y
por fin parece adecuarse a cada protuberancia y a cada hueco del otro cuerpo, porque queda un momento inmóvil y
por fin hunde la parte inferior de su cuerpo contra la mujer. Queda otra vez inmóvil, y después empieza un movimiento lento consistente en hundir la parte inferior de su
cuerpo hacia la mujer y después volver a retirarse; entrar y
salir, rítmicamente, hasta que vuelve a detenerse y pasando
los brazos por debajo de los brazos de la mujer los cruza detrás del árbol. La cabeza de la mujer asoma por encima de
su hombro: tiene los ojos cerrados, pero de pronto los abre
y comienza a hacerlos girar distraídamente a su alrededor.
La mirada de Wenceslao pasa rápido de la grupa del Chacho, que se hunde hacia la mujer y vuelve a salir, rítmicamente, al puño apretado que aferra el rollo de billetes cuya
punta es visible, doblado hacia el pulgar, y después a la cara

pálida cuyos ojos recorren con distracción las copas de los árboles. El movimiento del Chacho es cada vez más rápido, hasta que se detiene de golpe, continúa, veloz, vuelve a detenerse, su espalda se arquea y se pone tensa durante unos segundos, y después todo su cuerpo se afloja y parece desmoronarse, apoyándose encogido contra el de la mujer que con la mano libre le da unas palmadas suaves en la espalda. Después la mujer lo separa sin brusquedad, se saca el calzón elevando la pierna izquierda y se limpia con él el sexo, haciéndolo una pelota apretada. Después lo cuelga de una rama, extendiéndolo, y comienza a arreglarse la ropa: desliza otra vez por las piernas la pollera colorada, alisándola una y otra vez en los flancos con la palma de la mano derecha y el puño de la izquierda que aferra los billetes, alza el corpiño y acomoda los senos dentro de las tazas blancas, se abotona la blusa azul eléctrico con rapidez y pericia, metiendo los bordes debajo de la pollera, en la cintura, y sacándose una peineta se aplasta el pelo con unos movimientos drásticos que hacen chasquear su dura cabellera castaña. El Chacho la mira, siguiendo con los ojos muy abiertos cada uno de sus movimientos, y la mirada de Wenceslao va alternativamente de un cuerpo al otro, el cuerpo inmóvil del Chacho que contempla el cuerpo de la mujer ejecutando una serie de movimientos firmes y precisos. Cuando la mujer termina, el Chacho escupe.

—Tanto lío —dice.

La mujer lo mira sin responderle. El Chacho se acerca a ella y le da dos o tres golpecitos en la mejilla, con la mano abierta.

—Puta —le dice.

Después se da vuelta y se va. La mujer lo sigue, seria, caminando gravemente, pasando tan cerca de Wenceslao que éste cree que va a rozar su sombrero con el muslo cubierto por la tela colorada. Wenceslao permanece inmóvil, en cuatro patas, hasta que el chasquido de las hojas, y de las ramas y el ruido de los pasos entre la maleza dejan de oírse por completo. Después se levanta y cruza la maleza en dirección al árbol: se para y mira a su alrededor; cuando ve el calzón negro extendido sobre la rama se aproxima y lo contempla; es sedoso y transparente, diminuto. Lo observa con gravedad, dando una vuelta alrededor de él y aproximándose cada vez más. La rama está encima de su cabeza, de modo que está parado frente a la tela negra y transparente con la cabeza levantada, lleno de seriedad. Después alza el brazo con un gesto mecánico, apoya la mano en la rama, más allá del calzón, hacia el lado del tronco, y haciendo presión hacia abajo la inclina hasta ponerla casi a su altura; cuando lo ha conseguido, se yergue hasta quedar casi en puntas de pie y empieza a oler la prenda, con aire de estupefacción.

La voz que comienza a llamarlo parece la de Rogelio. Cuando suena por segunda vez, Wenceslao la oye y advierte que la ha oído también la primera, y volviendo la cabeza en dirección al rancho grita "¡Va!". Rogelio lo llama por tercera vez, como si no lo hubiese oído. Wenceslao suelta despacio la rama, acompañándola en su elevación con la mano para que no se sacuda con violencia, y después comienza a caminar hacia la casa, echando primero una última mirada al calzón negro y gritando otra vez "¡Va!", mientras avanza. Fragmentos del techo amarillento y de las fachadas blancas del rancho son cada vez más visibles entre la fronda, a medida que avanza. Llega por fin al borde del patio trasero y ve a Rogelio de pie en medio de él, proyectando una sombra larga y atenuada en su dirección.

—¿Dónde estabas? —dice Rogelio.

—Durmiendo —dice Wenceslao, deteniéndose.

—Se ve —dice Rogelio, y su bigote negro se sacude un poco cuando se ríe. Sacude la cabeza hacia atrás señalando la parte delantera de la casa—. Ahí están las mujeres discutiendo para ver si van o no a tu casa.

—Que vayan, si quieren —dice Wenceslao.

—Quieren que vos las acompañés —dice Rogelio.

—Yo no voy —dice Wenceslao.

Rogelio está sin sombrero y su pelo negro, sin una sola cana, brilla, liso, cayendo a los costados de la cabeza, sobre las orejas. Detrás está la casa y más arriba la copa de los árboles y el cielo azul y entre la miríada de hojas verdes, la luz ya declinante. Wenceslao está parado sobre la sombra de Rogelio.

—Quieren que vos vayas con ellas y le digás que venga —dice Rogelio—. ¿No te parece que hace mal en no venir? Rosa dice que si ella no viene la va dar por muerta. Rosa está enojada porque dice que para ella nosotros no somos nada. Se le va la mano, ya, quedándose también este año, ¿no te parece?

Wenceslao mira a Rogelio.

—Correte unos pasos para atrás —dice.

—¿Qué? —dice Rogelio, y queda con la boca abierta.

—Dos o tres pasos —dice Wenceslao.

Rogelio retrocede; primero un paso, deteniéndose, y después dos más. Wenceslao lo sigue pisando su sombra, y cuando la sombra se desliza hacia atrás, acompañando el cuerpo de Rogelio, Wenceslao la pisa con el pie, produciendo unos golpes sordos. Después se queda inmóvil.

—No se puede —dice, mirando otra vez a Rogelio—. Se va por abajo. Decile a Rosa que pruebe ella, a ver si es que puede.

Rogelio se da vuelta y marcha en dirección a la casa, sacudiendo la cabeza.

—Viejo loco —dice.

—A ver, cuñado —dice Wenceslao—. Dígale a su mujer que venga y trate.

—Estás colifato —dice Rogelio, sin darse vuelta, caminando en dirección a la casa. Siguiéndolo, detrás suyo, el cuerpo magro de Wenceslao parece todavía más diminuto.

—Dígale. Dígale —dice Wenceslao—. Dígale que venga y que trate.

—¿Dónde te habías metido? —dice Rosa, después que pasan junto a la bomba y doblan hacia el patio delantero. Teresa está sentada en la esquina de la mesa, con la silla vuelta hacia el rancho, y detrás suyo se hallan de pie Josefa y la Negra. Rosa está parada en el sol, cerca de la pared blanca.

—Estaba durmiendo —dice Rogelio.

—Hace una hora que te estamos buscando —dice Rosa.

—¿Una hora? —dice Wenceslao—. Si no dormí ni diez minutos.

—Son casi las cinco y media —dice Rogelio—. Has estado durmiendo más de dos horas.

—Me parecía que eran las tres y media o las cuatro y que no había dormido ni diez minutos —dice Wenceslao.

—Bueno, a ver, ahora que no están los vicios —dice Rogelio—. ¿Qué hacemos con tu mujer?

—¿No vas a venir con nosotras a buscarla? —dice Rosa—. Capaz que si vamos solas no quiere venir.

—Este viejo está loco —dice Rogelio riéndose—. Se volvió loco de golpe y ahora no sirve para nada.

—Vayan solas —dice Wenceslao.

—Vos sos más cabeza dura que ella —dice Rosa.

La pollera multicolor de la Negra se mueve y avanza.

—¿Qué le pasa a la tía, tío? —dice la Negra—. ¿Por qué no quiere venir? Vaya y dígale que estamos nosotras y que tenemos ganas de verla.

—Sí, tío —dice Josefa—. Vaya y dígale. Nosotras nos vamos mañana a la mañana y queremos verla.

Wenceslao mira la blusa amarilla y después la cara redonda y oscura de la Negra.

—Tu tía está de duelo —dice—. No quiere venir porque dice que está de duelo.

—¿De duelo? —dice la Negra—. ¿Por qué de duelo? ¿Quién se murió?

La voz ceceante de Teresa se hace oír débil.

—Por tu primo, Dios lo tenga en la gloria, pobrecito —dice.

—Dios lo tenga en la gloria, sí —dice Rosa—. ¿Pero ella por qué no fue y se enterró con él?

—Bueno, Rosa —dice Rogelio.

—Dejala hablar —dice Wenceslao—. Tiene razón.

—Tenía que haber ido y enterrarse con él —dice Rosa—. Y sus hermanas, ¿qué somos? Hace seis años que no pisa mi casa.

—Tiene razón —dice Wenceslao.

—Nosotras nos vamos mañana a la mañana, tío —dice la Negra— y la queremos ver. Hace dos años que no la vemos.

—¿Entonces nos acompañás? —dice Rosa.

—No —dice Wenceslao.

—Es peor que ella —dice Rogelio—. Viejo loco.

Wenceslao se ríe.

—Decile a tu mujer que vaya y trate de pisar esa sombra —dice.

—¿Qué está diciendo ahora? —dice Rosa.

—El sol le aflojó los sesos —dice Rogelio.

—Es más cabeza dura que ella todavía —dice Rosa.

—Se ha vuelto loco —dice Rogelio.

Se ríe. Wenceslao, se ríe. Rosa los mira alternadamente con la cara seria y los ojos semicerrados.

—Una desgracia atrás de la otra —dice Teresa—. No pasa día sin que no nos caiga alguna desgracia.

—Está bien —dice Rosa—. Vamos ir a traerla.

—Yo voy con usted, tía —dice la Negra.

—Yo también, si querés, y llevamos a la Teresita —dice Teresa.

—Voy, sí, tía —dice Josefa.

—¿Querés venir, Josefa? —dice Rosa.

—Van al pedo —dice Wenceslao.

—Vos callate, Layo —dice Rosa—. Nadie te pregunta.

Rosa remará. Subirán a la canoa amarilla, balanceándose y pisando con gran cuidado para no perder el equilibrio, y Rosa se sentará en el medio de la canoa y remará. La canoa se deslizará despacio sobre el río liso, aproximándose cada vez más a la isla —el manchón multicolor de las vestimentas y los gestos nítidos coronando los enviones rígidos de la embarcación— y tocará por fin la costa. Las mujeres saltarán a tierra una por una y comenzarán a subir el sendero amarillo hacia la casa. Ante la puerta de alambre se detendrán, vacilando un momento, deliberando, y después Rosa golpeará las manos y la llamará. Aparecerá lenta y plácida, con su batón negro descolorido, limpio, y les hará señas para que entren. Las recibirá con una cordialidad fría, silenciosa. Se sentarán en rueda bajo el paraíso y durante un momento nadie pronunciará una sola palabra hasta que por fin Rosa, moviéndose incómoda en su silla de paja, comenzará a hablar. Ella la escuchará sin mirarla, como pensando en otra cosa. Después la voz de la Negra se sumará a la de Rosa, o la continuará cuando la de Rosa se calle, o reproducirá alternadamente sus entonaciones ante una cara sin expresión. La canoa amarilla, sin balancearse, coronada por el conjunto gesticulante —las cabezas y los brazos moviéndose— como suspendida por sobre la superficie del agua, se alejará despacio con enviones rígidos. Irán subiendo una por una, con cuidado, sentándose en orden, la Negra y la Teresita de espaldas a la proa; Rosa en el medio, sola, de espaldas a la proa, y frente a ella Teresa y Josefa, de espaldas a la popa. Rosa moverá primero un remo para hacer girar la canoa y alejarla de la orilla, y después empezará a remar con un ritmo regular. Por un momento, ninguna hablará. Primero se dispersarán, dejándolos a Rogelio y a él solos en el patio delantero, entrarán al rancho a buscar alguna cosa, un pañuelo para la cabeza, un cinturón, se llamarán a gritos y después se reunirán en el patio trasero y comenzarán a atravesar el montecito en dirección al río. Dejarán sus huellas en el camino arenoso. Se sentarán bajo el paraíso, en círculo, a la sombra. El rancho estará vacío. Ella irá a la cocina, preparará el mate, volverá. Rosa hablará frente a su sonrisa impasible. La canoa amarilla estará vacía, bajo los sauces, moviéndose imperceptiblemente con los sacudones tenues de la orilla. Bajarán una por una; Rosa en el medio, de espaldas a la proa; la Teresita y Teresa adelante, de espaldas a la proa; Josefa y la Negra atrás, frente a Rosa, mirando hacia la proa; la canoa avanzando con sacudones rígidos hacia la isla; se levantarán y ella las acompañará hasta la puerta de alambre, incluso hasta la orilla misma del río y estarán sentadas todas en círculo, alrededor, hablando en voz alta, bajo el paraíso, mientras ella escucha pacientemente, sonriendo. La canoa amarilla volverá, despacio, dejando atrás la isla. Dejará atrás la orilla y Rosa verá alejarse, mientras rema, de espaldas a la proa, el monte de eucaliptos.

—Tiene los sesos podridos —dice Rogelio.

—Vayan y vístanse que vamos en seguida —dice Rosa.

—Layo —dice Rogelio—. ¿Vamos a matar el cordero?

—Sí —dice Wenceslao.

No se mueven.

—Qué nos vamos a vestir —dice la Negra—. Vamos así nomás.

—Bueno, vamos —dice Rosa. Después alza la cabeza hacia Wenceslao—. ¿Así que no vas a venir?

Teresa se levanta y la Negra y Josefa empiezan a moverse. No se dirigen a ninguna parte. Se mueven en su lugar, cambiando de pie de apoyo, alzando los brazos para llevárselos a las caderas, tocándose el pelo, rascándose. Rosa está inmóvil, mirando a Wenceslao.

—¿Vas o no vas a venir? —dice.

—Che, Rogelio —dice Wenceslao—. ¿Dónde está ese cordero?

—Viejo loco —dice Rosa, y gira bruscamente, dándole la espalda. En el mismo momento las otras tres mujeres comienzan a caminar hacia la parte trasera de la casa, despacio, sin hablar. Rosa las sigue murmurando. Rogelio va y se sienta en la silla que ha estado ocupando Teresa. Wenceslao sigue todo su recorrido con la mirada: el cuerpo enorme de Rogelio se desplaza lento, pesado, y se dobla sobre la silla. Wenceslao está inmóvil.

—No hay que discutir con mujeres —dice Rogelio.

—¿Dónde está el cordero? —dice Wenceslao—. Si lo vamos a comer a la noche hay que dejarlo orearse un poco antes de ponerlo en la parrilla.

—Sí —dice Rogelio—. Digo yo, ¿no se ha podido consolar, en seis años?

—Hace falta el cuchillo grande —dice Wenceslao—. ¿Lo has dejado a la sombra?

—Está para el lado del agua, a unos cien metros —dice Rogelio.

—¿Lo traemos vivo, o lo degollamos allá mismo? —dice Wenceslao.

—Capaz que si vos ibas con ella la podían convencer —dice Rogelio.

—Más vale lo degollamos atrás —dice Wenceslao.

Rogelio se para.

—Sí —dice—. Más vale. Lo traemos vivo y lo degollamos atrás porque cargarlo muerto va ser un lío.

Empiezan a caminar. Pasan al lado de la bomba, atraviesan el patio trasero, se internan entre los árboles. Rogelio va adelante. Wenceslao lo sigue orondo, lento, con las manos en los bolsillos. Ahora las hojas de los árboles casi no brillan porque la luz solar no resbala sobre ellas sino que, menos vertical, atraviesa la fronda y proyecta entre las hojas manchones pálidos de una claridad débil. Avanzan entre los árboles que nadie plantó nunca; entre los troncos resecos y retorcidos, inclinados y rectos, en medio de una claridad verde, translúcida, que se parece más a una penumbra. El sudor gotea en la nuca de Rogelio, se desliza hacia la espalda dejando unas estelas tortuosas en el cuello, empapa la tela de la camisa que se pega a la piel. Wenceslao lo ve tropezar con un raigón, con la punta del pie derecho, salir velozmente despedido hacia adelante, inclinado, y después erguirse y saltar sobre el pie izquierdo, avanzando, mientras se calza otra vez la alpargata del pie derecho que se le ha descalzado con el tropezón. Wenceslao se ríe, arqueándose y golpeándose el estómago con la palma de la mano, deteniéndose por un momento y volviendo después a avanzar. Rogelio ni se da vuelta; sigue caminando, inclinándose de tanto en tanto para evitar que alguna rama baja roce la cara, rama bajo la cual Wenceslao pasa perfectamente erguido.

Cuando llegan al punto en el que está el animal, oyen ruido de remos y las voces de las mujeres, sonando y disolviéndose en seguida, pero no ven el agua, que está hacia abajo, más allá de los árboles, detrás del cordero echado en el suelo, hecho un ovillo, la soga que rodea su cuello oculta entre la lana y visible únicamente en el extremo atado al árbol. "Ve" sin embargo la canoa, por un momento, avanzando rígida. Al verlos, el cordero se incorpora despacio y se queda mirándolos. Rogelio desata la soga del árbol y el cordero bala, débilmente, dos veces, y se vuelve a echar. Rogelio enrolla la punta de la soga en su mano derecha y después la sacude azuzando al animal. Por un momento, el cordero no se mueve y después, de golpe, salta hacia adelante, balando, y corre, pero cuando la soga queda tensa gira bruscamente hacia la derecha y comienza a correr en redondo, balando. Rogelio está parado tieso, algo inclinado, la mano que sostiene la soga extendida hacia adelante y moviéndose en la dirección que lleva el cordero al empezar a girar en redondo. El cordero se para de golpe, cambiando de dirección, y recorre a la inversa el mismo camino. Traza, de ida y vuelta, una docena de semicírculos tensos, desesperados, balando y dejando caer puñados de bolitas negras de excremento. Rogelio, con las piernas abiertas, el cuerpo medio inclinado hacia adelante, comienza a enrollar la soga y a aproximarse al cordero. Cuando hombre y cordero no están separados más que por un metro de soga, el animal se tumba otra vez. Rogelio le acaricia el lomo lanudo. El cuerpo entero del cordero palpita. Tirando suavemente la soga tensa, Rogelio lo induce a levantarse. El animal no los mira. Su cabeza alzada se sacude un poco al impulso de la palpitación general de su cuerpo y mira algún punto impreciso que está más allá de ellos, entre los árboles, en dirección al río. A los sacudones de la soga y a las palabras suaves con que Rogelio quiere inducirlo a levantarse, el animal parece percibirlos, aunque con una especie de indiferencia, de presciencia, de desdén. No hace más que respirar rápido, el hocico negro entreabierto, el cuerpo temblando al ritmo de una única y gran palpitación, y mirar ese punto impreciso entre los árboles, en dirección al río. Se da un tiempo para que la palpitación desaparezca y después se para, sin apuro, y sigue dócil a Rogelio. Wenceslao cierra la marcha. Para acomodarse a la marcha de Rogelio, que sin embargo no es rápida, el cordero debe trotar, lo que hace reaparecer en él la agitación. La soga que lo une a Rogelio va floja. Las alpargatas chasquean contra el pasto y a medida que van acercándose a la casa comienza a oír las voces de los muchachos que han de estar en el patio trasero. Wenceslao reconoce las voces de los mayores y del Ladeado y el Carozo. Cuando llegan al patio trasero, los cinco varones, que han de haber estado moviéndose, saltando o corriendo, quedan por un segundo inmóviles, con la cabeza vuelta hacia ellos: el Chacho, que tiene la camisa desprendida y fuera del pantalón, más cerca que todos del punto en el que ellos aparecen con el cordero, tiene las dos manos levantadas por encima de los hombros y da la impresión de que hubiese acabado de tocar tierra con la planta de los pies desnudos después de haber saltado rígido hacia arriba, con las piernas juntas; Rogelito está cerca de él, un poco más atrás, de espaldas, las manos estiradas a lo largo del cuerpo y la cabeza vuelta hacia el punto por el que ellos aparecen; el Segundo, inclinado sobre la mesa de la galería, el más alejado de todos señala el cordero con el brazo derecho extendido, y entre el Chacho y Rogelito y el Segundo, bien en el medio del patio, el Carozo, sentado en el suelo, manipula algo situado entre sus piernas abiertas y estiradas, mientras el Ladeado mira con atención sus manipulaciones, parado frente a él. Durante una fracción de segundo Wenceslao los ve inmóviles —el eco de sus gritos y de sus pasos resonando todavía en el aire, vagamente— y después, casi al mismo tiempo, los cinco empiezan a moverse en dirección a Rogelio y sobre todo en dirección al cordero, hasta que en el medio del patio el animal queda en el centro de un círculo de miradas, parado palpitante, y en el silencio que sigue a la agitación fugaz de la llegada, deja un momento que su confusa respiración se calme y después se pone a balar. Los muchachos se ríen, pero los dos hombres y los dos niños se quedan serios. El patio bordeado de paraísos está cortado en dos por la sombra del rancho y de la galería que ya divide por la mitad el espacio de tierra apisonada. La sombra de los paraísos va a mezclarse con la confusión de sombra y luz del montecito. El círculo de hombres y el animal están en la mitad soleada del patio.

—Traé el cuchillo grande y la palangana —dice Rogelio.

Aunque la orden no ha sido dirigida a él, Rogelito sacude la cabeza afirmativamente —un momento antes de que la voz de Rogelio haya sonado ha comenzado a dar saltitos en el mismo lugar, como si corriera sin avanzar—, da dos o tres saltos más en el punto en el que se encuentra, y después pega media vuelta brusca y sale al trote en dirección a la parte delantera de la casa. Rogelio lo mira alejarse.

—Muchacho de mierda —dice.

El círculo de varones, en el que la ausencia momentánea de Rogelito ha dejado un espacio vacío entre el Segundo y el Carozo, se echa a reír, con excepción del Ladeado, que mira a Rogelio con los ojos extraordinariamente abiertos.

—Hay que dejarlo descansar un rato antes de sacrificarlo —dice Wenceslao.

Rogelio tira de la soga, sacudiéndola al mismo tiempo, y lleva el cordero hasta el fondo del patio; ata la soga al tronco de un paraíso y el cordero se echa, en silencio, tranquilo, mirando al grupo de varones que se han distribuido rompiendo el círculo que habían formado un momento antes, formando ahora un semicírculo frente al animal echado en el suelo. Todos lo miran.

—El año pasado —dice el Segundo— había ótodo cov-
dedo, ¿se acuerda, tío? Se escapó y se llevó pod delante la
mesa donde la tía Dosa había dejado un pan dulce pada que
se enfdiada. Lo patió todo y se comió la mitad.

Un ruido a metal se aproxima desde la parte delantera.
El cordero se sacude y el grupo de varones gira y ve a Rogelito que viene al trote —con el mismo ritmo, el mismo paso y la misma expresión con que se fuera— golpeando la hoja del cuchillo contra la base de la palangana de metal. A un
metro de distancia del grupo se detiene de golpe, sin dejar
de dar saltitos ni de golpear el cuchillo contra la palangana.

—Misión cumplida —dice.

—Traé para acá —dice Rogelio, estirando el brazo.

Rogelito sigue saltando en su lugar y golpeando el cuchillo contra la palangana. Golpea con un ritmo rápido, uni-
forme, los brazos pegados al cuerpo, la mano izquierda inmóvil, a la altura del pecho, sosteniendo la palangana, y la
derecha sacudiéndose rápidamente, agarrando el mango de
madera amarilla del cuchillo. Rogelio sacude la cabeza y da
un paso en dirección a su hijo. Rogelito lo deja aproximarse y cuando está por ser alcanzado retrocede sin dejar de saltar ni de golpear la palangana. El sonido metálico repercute y cuando Rogelito salta para atrás su mano derecha
comienza a moverse más rápidamente, de modo tal que el
ritmo de los golpes se hace más frenético. Retrocediendo, sin
dejar de saltar y de golpear la palangana, Rogelito obliga a
Rogelio a perseguirlo por el patio trasero, mientras el grupo de varones se ríe a carcajadas, de espaldas al cordero que
se ha vuelto a parar y bala, asustado.

—Traiga para acá, carajo —dice Rogelio, riéndose y ti-
rándole a Rogelito suaves patadas que no lo alcanzan. Los
hijos de Agustín están doblados por la risa y Wenceslao sonríe con un cigarrillo sin encender entre los labios, porque se
ha quedado con un fósforo en la mano derecha y la caja en
la izquierda, interrumpiendo su acción para contemplar la
escena. Desplazándose por el patio, Rogelito y Rogelio en-

tran en la zona de sombra, vuelven a salir, recorren un momento el espacio soleado y entran otra vez en la zona de sombra. El Carozo comienza a correr detrás de su padre, se adelanta a él, pasa junto a su hermano que continúa retrocediendo, pega una media vuelta brusca y corta la retirada de Rogelito abrazándose a su cintura por detrás. Cuando Rogelio cae sobre su hijo, el Carozo se para y permanece mirándolos.

—Ya es mío —dice Rogelio.

La palangana cae al suelo y Rogelito arroja el cuchillo a un costado para luchar mejor. Rogelio abraza fuertemente a su hijo, inmovilizándolo. Rogelito cuelga en el aire y sacude infructuosamente las piernas para liberarse.

—Ya cagó —dice Rogelio.

Manteniéndolo inmovilizado apoya la rodilla derecha en la tierra y sobre el muslo izquierdo pone a Rogelito de espaldas. Lo afirma contra el muslo sosteniéndolo con la mano izquierda y con la derecha agarra el cuchillo.

—Ahora lo degüello para que aprenda a no faltar el respeto a su padre —dice—. Pida perdón antes de morir.

Wenceslao sonríe con el cigarrillo sin encender colgando de los labios y el fósforo en la mano derecha y la caja en la izquierda.

—Perdón —dice Rogelito.

Rogelio aproxima el borde mocho del cuchillo al cuello de Rogelito. Antes de que el acero toque la carne alza la cabeza hacia el grupo que los contempla.

—Por ser año nuevo vamos a perdonarle la vida —dice.

Los muchachos aplauden. Rogelio deja el cuchillo en el suelo y comienza a levantarse despacio, sin soltar a su hijo. Cuando está completamente erguido hace girar el cuerpo de Rogelito de modo de hacerlo quedar de espaldas a él.

—Ahora voy a soltarlo, pero usted no se me mueve —dice.

Afloja el brazo. Inmediatamente después de quedar libre, Rogelito comienza a saltar otra vez en su lugar, sin alejarse de su padre. Rogelio retrocede un paso y alza rápidamente el pie para darle una patada, pero antes de que el pie llegue al culo de Rogelito éste ya ha dado un salto hacia adelante, quedando fuera de su alcance. Wenceslao enciende el fósforo y aproxima la llama a la punta del cigarrillo.

—Yo lo carneo —dice, sacudiendo la mano para apagar el fósforo y guardándose la caja en el bolsillo de la camisa mientras Rogelio se aproxima a él riéndose y jadeando.

—Es un bandido —dice Rogelio, llegando junto a él. Mete la mano en el bolsillo de la camisa de Wenceslao y saca los fósforos y los cigarrillos. Se pone un cigarrillo entre los labios, lo enciende, y vuelve a guardar el paquete y los fósforos en el bolsillo de Wenceslao. Fuman un momento sin hablar. Los muchachos se dispersan y comienzan a saltar otra vez, arrojando al aire una pelota de papel y tratando de cabecearla. El cordero mira la escena —inquieto, balando.

—A ver si se dejan de joder, grandulones de mierda —dice Rogelio.

Después ordena que se rieguen los patios.

—Vayan a saltar adelante, que asustan a este pobre animal y hay que carnearlo —dice Wenceslao.

Los muchachos se van. Quedan Wenceslao y Rogelio fumando en silencio, Rogelio parado en la zona de sombra y Wenceslao en la zona soleada, y la mitad de la sombra de Rogelio se imprime sobre la línea de sombra del rancho y la galería. La sombra de Wenceslao se estira en dirección al cordero, al montecito, al río. El humo de los dos cigarrillos sube apacible, lento, convergiendo y mezclándose a determinada altura para constituir una sola columna azul, árida y sin brillo.

—¿Por dónde andará Agustín? —dice Rogelio, después de un momento.

—Ha de haber ido otra vez a lo Berini —dice Wenceslao.

—No puedo creer —dice Rogelio.

Se saca una brizna de tabaco de los labios con el pulgar

y el anular de la mano con que sostiene el cigarrillo entre el índice y el medio.

—No hace más que joder —dice Wenceslao.

El cordero ha quedado parado, callado, tranquilizándose de a poco. Se da vuelta y comienza a tascar el pasto que crece alrededor del paraíso, más allá del cuadrado perfecto del patio liso en el que no crece nada verde del suelo. El Carozo viene desde adelante con una lata llena de maíz.

—Papi —dice—. Mami me mandó darle de comer a las gayinas.

—Sí —dice Rogelio—. Pero primero vienen y me riegan el patio. Dejá ese maíz sobre la mesa y andá traer la regadera con agua.

El Carozo obedece. Mientras Wenceslao está dando las últimas chupadas al cigarrillo oye los gritos del Carozo y de Rogelito, peleándose por la regadera, y después el ruido de la bomba y del agua cayendo en un chorro violento en la regadera. No oye más nada en el momento en que deja caer el cigarrillo al suelo, pisándolo y aplastándolo contra la tierra, de modo que cuando el Carozo reaparece, inclinado hacia la izquierda para contrabalancear el peso de la regadera que hace fuerza en sentido contrario, el humo de la última pitada, que no obstante ha sido ya expelido, grisáceo, por Wenceslao, está todavía desvaneciéndose en la luz del sol, por encima de su cabeza.

—¿Está fresquita? —dice Wenceslao.

—Sí, tío —dice el Carozo.

Wenceslao se inclina y juntando las manos ahueca las palmas.

—Echá un poquito —dice.

Enderezándose, el Carozo apoya la mano izquierda en la base de la regadera y la inclina hacia adelante. De la flor cae una lluvia espesa que llena las manos de Wenceslao, las rebalsa, y salpica la tierra. Wenceslao se refriega las manos y después las sacude.

—Esperá un momento —dice.

Con dos dedos, para no mojarla, se desabrocha la camisa y se la saca alcanzándosela a Rogelio. Después se saca el sombrero, también agarrándolo del borde del ala con el índice y el pulgar y se lo entrega a Rogelio. Abre las piernas y se dobla hacia la tierra, juntando las manos y ahuecando las palmas sobre las que cae la lluvia ahora suave de la flor; se refriega la cara, el cuello, el torso magro, de modo que el vello encanecido del pecho queda aplastado contra la piel. Mientras Rogelio se dirige hacia la mesa para dejar la camisa y el sombrero, Wenceslao recoge el cuchillo y la palangana y los lava en la lluvia de la regadera. Después se dirige a la galería llevándolos en la mano, cruzándose con Rogelio que regresa al centro del patio, mientras el Carozo comienza a regar la tierra amarilla sobre cuya superficie las gotas que salen de la flor y refulgen fugaces en el aire antes de caer van dejando regueros y manchas húmedas irregulares que el suelo caliente absorbe casi en seguida y que convierten el gran espacio liso en un diagrama complejo en el que las manchas marrones de la humedad se superponen a la superficie amarillenta. Wenceslao deja el cuchillo dentro de la palangana y la palangana sobre la mesa y se da vuelta viendo a Rogelio detenerse en el otro extremo del patio, bajo los paraísos, cerca del cordero que se ha vuelto a echar y que permanece tranquilo. Con paso plácido, el Carozo va recorriendo el patio, trazando círculos, sacudiendo la regadera con más facilidad a medida que va vaciándose, la lluvia que brota de la flor refulgiendo fugaz a la luz solar y cayendo después a la tierra. Ahora se aproxima a la línea de sombra y sobre la superficie oscurecida las manchas de humedad se superponen como una sombra más densa, cegando de a trechos las coladuras de luz que la parra apretada, pero no del todo compacta, deja pasar entre el tumulto de las hojas. El olor de la tierra regada sube hasta las narices de Wenceslao, que siente al mismo tiempo, de un modo casi imperceptible, que la piel de su cara y de su pecho comienzan a secarse. El chico va y viene por el patio hasta que vacía la regadera.

—Ahora andá a echarle un puñado de maíz a las gayinas —dice Rogelio, arrojando una última bocanada de humo y tirando el cigarrillo hacia el centro del patio. El cigarrillo cae sobre una mancha de humedad y despide todavía un poco de humo, pero en seguida se apaga. El Carozo desaparece hacia el patio delantero, por el lado del horno.

Wenceslao y Rogelio están parados uno a cada lado del patio, frente a frente; uno en el borde de la galería, del lado de la sombra; el otro cerca del cordero, bajo los paraísos, del lado del sol. No dicen nada. Rogelio mira fijo el centro del patio, pensativo. Wenceslao alza la cabeza viendo las copas de los paraísos sobre cuyas hojas la luz del sol, todavía intensa pero ya declinante, pega y resbala. "Ve" la canoa amarilla sobre la que las mujeres se mantienen en un tenso equilibrio salir de bajo los sauces de la isla y comenzar a avanzar despacio hacia el centro del río. La "ve" sentada bajo el paraíso, las manos cruzadas sobre el abdomen, pensativa, escuchando. "Ve" la canoa que avanza alejándose cada vez más de ella, de los sauces, de la isla, en dirección al centro del río. Por un año más, se ha quedado sola en la casa, escuchando, prometiendo, esperando. Y la canoa amarilla, sobre la que las mujeres mantienen un equilibrio difícil, va dejando una estela que apenas si turba la superficie dorada, lisa. Ahora los remos salen del agua, los dos al mismo tiempo, movidos por las manos firmes de Rosa, ahora se adelantan en el aire, al unísono, ahora se hunden los dos a la vez, ahora los palos regresan comidos por el agua que se sacude paralelamente a los costados de la canoa que gana distancia a cada sacudida, mientras la mano de la Negra, que va adelante, de espaldas a la proa, abandonada por encima de la borda, toca delicadamente el agua dejando una estela diminuta y adicional. Ahora es de noche y la luna mancha los árboles, mientras a la luz de los faroles que cuelgan entre las hojas de los paraísos el cordero es dividido y repartido entre los que están sentados a la mesa. Ahora el farol, en la isla, se desplaza, llevado por ella desde la mesa del patio, bajo el paraíso, hasta el comedor, atraviesa la cortina de cretona, descansa sobre el arcón. Las sombras móviles que han venido acompañando su trayecto se inmovilizan. Ella se desviste, apaga el farol, se acuesta en la oscuridad. La canoa amarilla avanza hacia el centro del río, bajo la luz del sol. Ahora, por un momento, ella viene en la canoa, en el centro, frente a Rosa que rema, las manos plácidas cruzadas sobre el abdomen, el rodete tenso coronando la cabeza, al lado de Teresa, de espaldas las dos a la popa, mientras la Teresita, sentada todavía más atrás sobre el vértice de la popa y de espaldas a la popa, se sostiene apoyando sus manos sobre los hombros de ella que ve más atrás del cuerpo de Rosa que se adelanta y retrocede mientras rema, de espaldas a la proa, a la Negra, sonriéndole cada vez que el cuerpo de Rosa se inclina hacia adelante o hacia atrás, y detrás de la Negra todavía a Josefa, sentada sobre el vértice de la proa y de espaldas a la proa sosteniéndose sobre los bordes que se arquean y se reúnen en el punto mismo en el que está sentada. Ahora está por un momento sentada a la mesa bajo los faroles que cuelgan entre las ramas, comiendo su parte del cordero y escuchando, sin hablar, las voces que se mezclan al tintineo de los platos y los cuchillos y no dejan oír el croar de las ranas que llega desde los pantanos ni los ladridos de los perros que vienen del claro o de los ranchos vecinos. Se ve la luna, nítida, circular, dura, blanca y sin destellos, entre las hojas de los árboles, más fría, más lejana, y sin embargo más poderosa que los faroles, aunque ilumine menos. Los sonidos se confunden y después se borran, pero eso no se percibe porque otros sonidos, complejos y fugaces como los anteriores, se empalman a ellos, en el mismo momento en que a su vez ellos mismos se empalman a nuevos sonidos, indefinidamente. Ahora su mirada va bajando de la copa de los árboles entre cuyas hojas la luz pega y resbala, diseminándose entre los intersticios de la fronda, y se detiene medio metro por encima de la cabeza de Rogelio, viendo más allá, entre los troncos de los paraísos, amontonarse en desorden las ramas, las flores y los troncos de los árboles que nadie plantó, envueltos en esa claridad verdosa en que ellos mismos transforman la luz solar que cae gradual desde la altura despedazándose y diseminándose en todas direcciones por la refracción de las hojas. Después la mirada baja, todavía más, y encuentra la de Rogelio, parado al lado del cordero que está echado en el suelo, el hocico apoyado delicadamente sobre las patas delanteras. Le parece percibir fatiga en la expresión de Rogelio.

—Y hemos pasado nomás otro año, gracias a Dios —dice Rogelio.

—Todavía no —dice Wenceslao, sonriendo.

—No seas lechuza —dice Rogelio.

—A mí se me hace que el cordero no ve otro año —dice Wenceslao.

—A mí se me hace algo parecido —dice Rogelio—. ¿Vos qué pensás, Layo, la traerán?

Wenceslao sacude la cabeza. Rogelio sacude también su cabeza, siguiendo el movimiento de la cabeza de Wenceslao y convenciéndose de lo que el movimiento quiere significar a medida que la ve moverse. Se quedan un momento inmóviles y en silencio, mirándose, hasta que Wenceslao sacude la cabeza en dirección al cordero y dice:

—Lo despenamos y en paz.

Más adelante será una res roja, vacía, colgando de un gancho, después se dorará despacio al fuego de las brasas, sobre la parrilla, al lado del horno, después será servido en pedazos sobre las fuentes de loza cachada, repartido, devorado, hasta que queden los huesos todavía jugosos, llenos de filamentos a medio masticar que los perros recogerán al vuelo con un tarascón rápido y seguro y enterrarán en algún lugar del campo al que regresarán en los momentos de hambruna y comenzarán a roer tranquilos y empecinados sosteniéndolos con las patas delanteras e inclinando de costado la cabeza para morder mejor, dando tirones cortos y enérgicos, hasta dejarlos hechos unas láminas o unos cilindros duros y resecos que los niños dispersarán, pateándolos o recogiéndolos para tirárselos entre ellos en los mediodías calcinados en que atravesarán el campo para comprar soda y vino en el almacén de Berini, objetos ya irreconocibles que quedarán semienterrados y ocultos por los yuyos en diferentes puntos del campo durante un tiempo incalculable, indefinido, en el que arados, lluvias, excavaciones, cataclismos, la palpitación de la tierra que se mueve continua bajo la apariencia del reposo, los pasearán del interior a la superficie, de la superficie al interior, cada vez más despedazados, más irreconocibles, hechos fragmentos, pulverizados, flotando impalpables en el aire o petrificados en la tierra, sustancia de todos los reinos tragada incesantemente por la tierra o incesantemente vuelta a vomitar, viajando por todos los reinos —vegetal, animal, mineral— y cristalizando en muchas formas diferentes y posibles, incluso en la de otros corderos, incluso en la de infinitos corderos, menos en la de *ese* cordero hacia el que ahora se dirige Wenceslao llevando el cuchillo y la palangana.

Wenceslao se pone la camisa y el sombrero y recoge el cuchillo y la palangana. Cuando se acuclilla para desatar el cordero, Rogelio vuelve a meter la mano en el bolsillo de su camisa y a sacarle los cigarrillos y los fósforos. Wenceslao deja la palangana con el cuchillo adentro en el suelo, y después desata el cordero que se queda casi inmóvil, dejándolo hacer. Cuando la soga cae a un costado, Wenceslao apoya suavemente la mano izquierda sobre el cuello del animal, sin hacer presión, pero previniendo que el cordero pueda asustarse y saltar. Después, lentamente, recoge el cuchillo y deslizando la mano izquierda del cuello a la cabeza donde la lana es más rala y la superficie por lo tanto más dura, la deja reposar un momento. Tantea, agarra las orejas tirando hacia atrás la cabeza del cordero, y clava el cuchillo, que rasga la lana y entra en la carne, hundiéndose, abriendo en la garganta un hueco que lo ciñe, que se vuelve a cerrar, un hueco en el que no hay lugar más que para el cuchillo. El animal comienza a sacudirse con violencia, y entonces Wenceslao tira con más violencia todavía, medio inclinado en la dirección que da a su movimiento, el mango del cuchillo, degollando. La sangre brota en un chorro grande y dos o tres más pequeños, a los que Wenceslao, rápidamente, dejando el cuchillo sobre el animal mismo que da sacudidas cada vez más débiles y ronca, despacio, acerca la palangana. La sangre empieza a acumularse en el recipiente y hasta que el animal no queda inmóvil y su sangre no deja de manar, Wenceslao no afloja la mano de su cabeza.

Se saca otra vez la camisa y el sombrero para faenarlo. Cuando ha terminado de cuerearlo, de sacarle las vísceras, abrirlas y lavarlas, con ayuda de Rogelio, que fuma todo el tiempo y que en un momento dado, mientras él arrancaba las vísceras, se ha entretenido en quemar un mechón de lana con la brasa de su cigarrillo, cuando ha dejado la res roja colgada de un gancho de uno de los travesaños de la parra y las vísceras limpias en una de las fuentes de loza cachada, la sombra de la parte trasera de la construcción blanca toca ya casi en el borde del patio los troncos de los paraísos cuyas hojas ahora no brillan sino que son como borradas por unos gruesos bloques horizontales de luz rojiza que se expanden entre los árboles como si fuesen refractados por grandes láminas de metal. Wenceslao tiene las manos, los brazos, el torso y la cara manchados de sangre y sudor. Se sienta un momento, jadeando de un modo acompasado, y fuma un cigarrillo. Rogelio desaparece hacia adelante por el lado contrario al del horno, el del gallinero y el excusado, llevando la fuente con las achuras. Cuando acaba su cigarrillo Wenceslao se levanta, recoge con la punta de los dedos, para no mancharlos, la camisa y el sombrero, cruza el patio internándose entre los árboles, avanza en dirección al río. Camina más de trescientos metros siempre entre los árboles, sin ver el agua; desvía hacia la costa en un punto preciso en el que después de un claro hay cuatro sauces en hilera. Los dos de los costados están inclinados hacia afuera del conjunto; los del medio en cambio, están inclinados también pero hacia adentro, de modo que sus troncos casi se tocan en la altura. Los cuatro troncos son rectos, sin ramas bajas, y las copas que los coronan, ralas, no ocultan la forma peculiar del conjunto. Son tres ángulos graves, el del medio con el vértice hacia arriba y los de los costados con los vértices hacia abajo. Wenceslao deja atrás los cuatro sauces y desemboca de golpe sobre el río que corre tres metros más abajo. La luz mancha el agua de un tinte violáceo. Enfrente, un riacho divide en dos la orilla, a unos trescientos metros, Wenceslao deja la camisa y el sombrero en el suelo. Después se descalza, se saca despacio el pantalón acomodándolo sobre las alpargatas, realiza la misma operación con los calzoncillos y después se adelanta unos pasos y queda con los pies juntos, erguido, en el borde de la barranca. Entre la barriga, un poco más abajo del ombligo y la mitad superior de los muslos, su piel es más clara que el resto del cuerpo. Queda un momento inmóvil, mirando hacia la otra orilla. Después inclina la cabeza y mirando el agua que corre abajo comienza a balancear los brazos doblando las rodillas y de pronto pega un envión hacia arriba, con las manos juntas, los brazos estirados entre los que la cabeza va inclinada, los pies ligeramente separados, ya despegados de la tierra, y su cuerpo, en el aire, una fracción de segundo después, cambia de dirección quedando otra fracción de segundo horizontal al agua, y comienza después a descender rápido, las manos que ahora se tocan suavemente por las yemas de los dedos aproximándose a la superficie violada.

Ha de haber sido el sol cayendo a pique lo que me tumbó. Ha de haber sido el sol. Yo venía por el camino de arena desde el río y la canoa verde estaba otra vez abajo de los sauces. No paso el tejido que me vengo al suelo, por el sol, por el sol cayendo a pique, por el sol cayendo a pique en pleno mediodía que ha de ser seguro lo que me tumbó. Subiendo la barranca y viniendo después por el caminito y como ella viene también corriendo hacia mí desde el paraíso —la canoa verde ya estaba descansando abajo de los sauces— porque se me hace que ya me estaba empezando a caer sin darme cuenta y ella me venía viendo desde el paraíso; así que se levantó y venía corriendo mientras yo me caía, por el sol, por el sol cayendo a pique, por el sol cayendo a pique en pleno mediodía, porque se me hace que ha sido el sol cayendo a pique en pleno mediodía lo que me tumbó.

Ella venía corriendo desde el paraíso, vestida de negro. Se levantó y la silla baja se vino para atrás, abajo del paraíso. Venía corriendo descalza y balanceándose, la vieja, con la cabeza negra descolorida como el batón, pisando y rebotando contra la arena para no quemarse la planta de los pieses, desde la sombra del paraíso a la que yo quería llegar y donde la silla baja se dio vuelta cuando ella se levantó y vino corriendo en el momento en que se me hace que yo estaba empezando a caerme, dando bandazos de un lado al otro del caminito, a causa del sol de mediodía cayendo a pique sobre mi cabeza, porque a mí se me hace que es de seguro el sol cayendo a pique lo que me tumbó. Era una sola cuando se levantó abajo del paraíso. Y no va que a mitad del camino, cuando sale de bajo la sombra, se divide en dos; primero veo una cosa negra descolorida, el batón, seguro, que se infla, y ahí nomás se parte por la mitad, de arriba abajo, y quedan las dos mitades igualitas corriendo las dos hacia mí, las dos viejas descalzas vestidas cada una con su batón negro, las dos con el pelo negro descolorido peinado en rodete en la parte de arriba de la cabeza, pisando y rebotando contra la arena caliente y echando su sombra cada una sobre la arena mientras vienen corriendo en dirección mía, que me estoy cayendo. No estoy todavía en el suelo porque alcanzo a ver —siempre cayéndome o capaz dando bandazos de un lado al otro del caminito como a veces antes cuando sabía volver en pedo, y capaz dando bandazos nomás porque de a momentos parece que el paraíso cambia de lugar en el fondo saltando primero para un lado y después para el otro y después otra vez para el otro lado y después para el otro— porque alcanzo a ver que una me mira, está como media inclinada hacia mí en la carrera, pero la otra mira más allá por encima mío, en dirección al agua. Ahí debo de haber caído. Y después siento los brazos que me empiezan a palpar y los gritos y de golpe un poco de arena que me golpea en la cara; un puñadito, por los pieses que han pasado corriendo al lado de mi cara que ha de estar como aplastada contra el suelo. Siento por encima de los gritos el ruido de los pieses que siguen corriendo en dirección al río, mientras unos brazos me palpan y tratan de soliviantarme; los voy sintiendo alejarse y rebotar y después no oigo más nada. No oigo más nada. Más nada. No oigo ni que están tratando de levantarme. Nada. Porque estoy esperando, porque estoy esperando que venga la explosión, porque estoy esperando que venga la explosión de la zambullida, porque estoy esperando que venga la explosión de la zambullida del cuerpo que salió de ella, idéntico; porque estoy esperando que venga la explosión de la zambullida del cuerpo que salió de ella idéntico saltando al agua para buscar lo que yo dejé que la corriente se llevara hace catorce años. Por un momento no pasa nada y después se oye la explosión, y ahora está el farol colgado del travesaño, en el techo, y dos mariposas blancas vuelan alrededor. Hay otras dos mariposas negras, enormes, que vuelan pegadas a las paredes y al techo, donde da la luz del farol. Si las mariposas blancas que vuelan alrededor del farol chocando a veces contra el vidrio y a veces aleteando en el mismo lugar sin salir de él se paran, las mariposas negras enormes que se mueven pegadas al techo y a la pared también se paran, y si las mariposas blancas empiezan a girar alrededor del farol volando rápido en círculo y al mismo tiempo en espiral hacia arriba, y cruzándose muchas veces porque llevan dirección contraria, también las mariposas negras enormes giran alrededor del farol volando rápido en círculo y al mismo tiempo en espiral hacia arriba y se cruzan muchas veces pegadas al techo y a la pared porque llevan dirección contraria. Cuando paran queda la luz del farol. Está siempre quieto y siempre en movimiento, siempre el centro de la llama quieto y siempre con destellos que entran y salen del centro quieto y que titilan en las puntas porque el centro quieto es como blanco y los destellos que entran y salen blancos cerca del centro y más afuera rojizos y verdes en las puntas que titilan. De a ratos todo se me borra.

De a ratos se me aparece todo otra vez. Primero está todo borrado, negro. Después menos borrado, unas manchas de colores que dan vuelta en lo negro, pasando y desapareciendo y volviendo después a pasar y después desapareciendo otra vez, hasta que desaparecen por fin del todo y aparece una mancha blancuzca, empañada, rodeada de negro, que parece pegada contra un vidrio mojado, después contra un vidrio seco, después contra nada, que se va achicando, se estira, se queda parada con un centro quieto y destellos que entran y salen titilando en las puntas, o sea el farol, y después las mariposas blancas que empiezan a volar en círculo y al mismo tiempo en espiral hacia arriba, cruzándose muchas veces porque llevan dirección contraria, igual que las dos mariposas negras enormes que se mueven pegadas al techo y a la pared. No se oye nada; a veces me parece que oigo el zdzzzzz de las mariposas, pero no viene ni del farol ni del techo. De ninguna parte no viene. Suena un pedazo un ratito y después no se oye más. Después otra vez se me borra todo.

Ahora la veo entrar chorreando agua, viene y se sienta en el borde de la cama. Me levanto un momento y me quedo medio sentado apoyando la espalda contra la almohada y entonces las veo a las dos, una en el borde de la cama chorreando agua y la otra sentada en una silla al costado, sequita. Las dos me miran, igualitas, y les digo: "¿Qué están haciendo ahí las dos que no se mueven? ¿Qué están haciendo ahí?". Y una de ellas, la de la silla, se levanta y me empuja despacio por el pecho y me dice que me quede quieto, que no hable, y hablando para atrás, para la que está en el borde de la cama, dice: "Capaz quiere algo, pobrecito". Y digo: "Están ahí las dos que no se mueven", y en seguida se me borra todo otra vez y ahora empieza otra vez a verse cómo las dos mariposas blancas vuelan alrededor del farol y de a ratos chocan con él: Dddzac ddzac ddzac. Ahora está todo negro y oigo cómo chocan ddzac ddzac ddzac.

Matamos al animal hace catorce años y después fuimos caminando despacio zac y nos zambullimos. Empezamos a nadar. Caímos de cabeza en el agua zac y anduvimos abajo un rato largo con los ojos abiertos pero sin ver nada zaczac sin ver nada y después sacamos otra vez la cabeza fuera del agua y no vimos tampoco nada todavía zaczac zac así que nos volvimos a zambullir. Ahí entonces chocamos contra algo duro que estaba parado en el fondo con las piernas abiertas y que después se nos prendió de un tobillo y empezó a tirar para abajo cosa de llevarnos también a nosotros zac zac zac y dejarnos ahí.   Zac
Así que ciegos nomás tiramos la mano y empezamos a buscar zac bajo el agua zac zac zac para encontrarle el lugar de donde agarrarnos y empezar a tirar también nosotros haciendo tuerza tontraria   zac fuerza contraria cosa de que no nos tiraran al fondo. Al fin zac dimos con algo firme zaczac. No era fácil porque con los manotazos y los pataleos empezó a levantarse zac zaac empezó a levantarse barro del fondo y no se veía más nada. No se veía más nada zaczac. Había como una columna de barro hecho polvo que flotaba en el agua y giraba zac zac zac en espiral y para arriba y todos nosotros zac todos nosotros moviéndonos ahí en el medio a ver quién se llevaba zac zac a ver quién se llevaba al otro al fondo. Ahí nomás nos le prendimos y empezamos nomás a apretar. Estábamos adentro de la columna de barro hecho polvo que se había levantado del fondo por los pataleos y los manotazos y cada cual tiraba para su lado. Pero nosotros zaaaac zaac zac nos prendimos y nos afirmamos y empezamos a apretar hasta que el otro cedió y empezó a patalear cada vez más

débil hasta que al fin zac no se movió más del todo y aflojó del todo y se fue boyando zac. Quedamos nosotros solos adentro de la espiral de barro hecha polvo que subía zac desde el tondo zac zac zac fondo. No había lugar para nadie más. Salimos del agua y nos acostamos a dormir la siesta. Y después veníamos en la canoa verde bajo la llovizna finita. Hará como unos veinte años, o sea seis años después que matamos al cordero. Justito seis años después. O sea veinte años. Yo venía zac zac zac zaac zddzzz zac zddzzzz zac zddzz zzzzac remando. Caían los remos y después volvían para atrás bajo el agua zac zddzzzz zac zddzzzzz zac zddzzzzz. Taían dos demos zac zddzzzz zac zddzzzz. Íbamos sintiendo cómo golpeaban contra algo. Un peso muerto que tiraba para abajo. Cada vez que los remos caían chocaban contra algo que quería agarrarlos y tirar para el fondo zac zac zac. El borde de la isla en el que están los sauces negros se nos va viniendo encima con enviones parejitos. Y los remos zac zddzzzz zac zddzzzz chocan contra algo que está esperando en el fondo cuando se hunden en el agua.

Ahora hay una mancha tirando a blanca atrás de un vidrio empañado, ahora el vidrio está seco y limpito, ahora el vidrio ya no está más, ahora está otra vez el vidrio todo empañado, ahora todavía más empañado y quiere como principiar a borrarse, ahora parece como si quisiera principiar a secarse otra vez, ahora está limpito, ahora no hay vidrio ni nada y la mancha quiere como empezar a estirarse para arriba, ahora de golpe el vidrio está todo empañado otra vez y de nuevo se me borra todo.

Ahora está todo negro, ahora parece como si quisiera haber una rendijita que apenas si se ve, ahora se ve mejor que es una rendijita de luz blanca toda empañada, ahora es más ancha, y cada vez más ancha, y todavía más ancha, y ahora los bordes derechos se rompen y no es más una rendijita, ahora parece como que quiere ser una mancha de luz blanca empañada, parece como que quiere ser la mancha de luz blanca que se veía una vez, pero cuando estoy por empezar a saber si es la misma mancha se me borra todo y me quedo otra vez en la oscuridad.

Ahora está primero todo negro y en seguida hay una rendijita blanca de luz, empañada, ahora se agranda y es una mancha de luz que aparece atrás de un vidrio empañado, ahora parece como si el vidrio estuviera principiando a secarse pero todavía está todo empañado, ahora está seco en parte y veo la luz más fuerte, ahora está todo seco y de golpe se me borra y me quedo otra vez en la oscuridad.

Ahora veo un vidrio empañado y atrás una mancha tirando a blanca, ahora la mancha atrás de un vidrio seco, ahora no hay ningún vidrio, pero ahora estoy otra vez en la oscuridad.

Ahora veo de golpe el farol y las dos mariposas blancas que vuelan alrededor, chocando de vez en cuando contra el vidrio: zdzzzz zac   ddzzzzzz zac. Las dos mariposas negras grandísimas vuelan pegadas al techo y a la pared. Yo venía caminando después de bajar de la canoa verde que descansaba abajo de los sauces, después de cruzar de lo de Rogelio despacito, sin sombrero, con el sol cayendo a pique sobre mi cabeza, y no va que después de subir la barranca y enderezar por el caminito de arena, para la casa, no va que el paraíso empieza a saltar primero para un lado, después para el otro, después otra vez para un lado y otra vez después para el otro; porque yo daba bandazos, seguro. Cuando ella me ve se levanta y viene corriendo y no va que en la mitad primero se infla, se infla y se parte en dos: quedan las dos igualitas, con el batón negro descolorido y el pelo negro descolorido, corriendo las dos en patas en dirección al punto en el que yo me estoy cayendo. Y una de las dos sigue de largo y oigo al rato que se zambulle. Es por eso que ahora entra chorreando agua y viene y se sienta en el borde de la cama. También está sentada al costado, sobre una silla. Las dos me miran. Medio me levanto y les digo: "¿Qué hacen ahí que no se mueven?". La que chorrea agua no se mueve. La de la silla se levanta y medio me empuja por el hombro y dice medio mirando para atrás, a la que está sentada en el borde de la cama, o capaz más atrás todavía: "Ha de querer algo, pobrecito". Después va para atrás y se sienta en el borde de la cama, justito donde está la otra. Entra en la otra, que se borra. Pero medio me levanto otra vez y veo que ha ido a sentarse en el lugar en que estaba la otra, en la silla. Las dos me miran. Capaz que hay alguno también sentado en el arcón, que también me mira. Pero no estoy seguro. Hay algo que me mira desde el arcón, pero no alcanzo a ver bien. Arriba las mariposas blancas zddzzzz zac zddzzzz zac. No esnoy neguno. Nanece qunena auno nenacón neno nesnoy neguno. Está sentado en el cómo se llama. Me mira ahí sentado en el cómo se llama y más acá están las dos igualitas con los batones negros descoloridos y el pelo negro descolorido, una seca en el borde de la cama, la otra chorreando agua en la silla. Alguno sentado también, cómo se llama mirándome. Arriba mariposas blancas zddzzzz zac zdzzzz zac. Las dos mariposas negras grandísimas se mueven al mismo tiempo que las blancas.

Ahora se me borra otra vez todo. Ahora abro los ojos otra vez y veo el farol, pero no las mariposas blancas. Las mariposas negas gandísimas se mueven negadas al necho y a la nared. Zddzzzzzzzzzz. Ahora se me borra todo otra vez zdddzzzzzzzz. Todo borrado. Nono nonado. Enanan nenadas nas nos nuna nene none nena nana na ona none nanina. Nanién nanuno nenado nenacón. Nenado nenacón. Zac zac zaczac zddzzzz zddzzzzzzz zac zac zddzzzzzzzzzz zaczaczac zddzzzzzzzzzzzzz zzzzzzzzzzzaaaac zzzaaaaaaaaac Zddzzzzzzzzzzzzzz

aaaaaaaaaaaaaa
aaaa aa a a agth agth srkk srkk aaaa aaa agtth srk srk agth agth ark srik srik aí aí agth aaagth aaagth aí aaí aaaaí.

Era vea un solo ver agua. Agua y después más nada. Más nada.

Aparece en eso una islita. Apenas vea si usté podía hacer pie de tan chiquitita que era. Cabía a lo más uno solo parado, derecho, y sin moverse porque sinó se iba al fondo. Y pura agua alrededor. Aparte de eso, más nada. Más nada.

En eso, a unos veinte metros, la misma islita. No otra, no vaya creer, no, la misma, vea, igualita. La misma, únicamente que dos veces, una a unos veinte metros de la otra, chiquititas las dos, tan chiquititas que arriba de ellas no cabía más que uno solo parado, derecho. La misma islita dos veces, pura agua alrededor, y después más nada. Más nada.

Aparece en eso otra vez la islita, siempre a unos veinte metros de las otras dos, en triángulo que le dicen, vea. Tres veces la misma islita. Alrededor, hasta donde usté quisiera mirar, agua, pura agua. Y aparece después otra islita, y después otra, y otra, y otra. Siempre la misma islita, muchas veces, aquí y allá, apareciendo despacio, sin mover el agua, todavía de barro blando. Muchas veces la misma islita. Alrededor, pura agua. Pura agua y después más nada. Más nada.

Al rato había tantas, digo había aparecido tantas veces, la misma islita, que usté podía pasar saltando de una a la otra, sin miedo de meter la pata en el agua. Y no bien usté había terminado de saltar de una islita y me va creer vea si le digo que era siempre la misma, no había vea terminado de saltar que ya estaba apareciendo otra vez la islita entre las dos, cosa de que si usté esperaba vea un minuto, vea, podía haber pasado caminando lo más tranquilo. Así hasta que se vio que todas las islitas estaban queriendo formar una sola. Quedó la isla grande y alrededor pura agua. Pura agua y después más nada. Más nada.

Ahí quedó nomás la isla secándose al sol. Porque ya estaba el sol arriba vea, arriba, dando vea de lleno. Primero era de barro tan blando que usté no podía caminar. Y agua alrededor por todos lados. El sol pegaba juerte, pero a la noche se le daba por desaparecer y todo quedaba negro y volvía a refrescar. Pero no bien despuntaba el otro día aparecía de nuevo y otra vez a dar de firme contra la isla el santo día. Se vio que en cuantito pasara un tiempo y si encima bajaba el agua, la isla se iba nomás a secar. Qué le voy a decir el tiempo que pasó. Perdimos vea la cuenta. Y todavía quedaron montones de cuajarones de barro por toda la isla. Partes secas, no le voy a decir que no había. Pero usté hacía un hoyo y no bien empezaba a aujerear más hondo, ya principiaba vea a ver tierra negra, y hasta podía ver culebrear alguna que otra lombriz y si usté se descuidaba y seguía cavando más abajo capaz que hasta brotaba agua. A mí se me hace que lo que se dice seca seca nunca quedó. Y eso que usté al tiempo no veía más ningún cuajarón. El agua también bajó, o en una de esas fue la isla la que se vino para arriba. Usté vea caminaba hasta el borde y podía ver igualito que ahora el agua dos metros más abajo. Así se formó la barranca, que el agua come. Tan seca quedó la tierra que se puso de un color gris al principio y después como blanca. Donde habían estado los últimos cascarones se hundió un poco, quedó lisita lisita y toda partida. Menos mal que se largó a llover, porque ya daba lástima esta isla de lo seca que estaba. Daban gusto los aguaceros. Y cuando pararon, vea, cuando pararon, usté no me va creer vea lo que le digo, cuando pararon los aguaceros, no va que aparece toda la tierra vea llena de unas hojitas verdes, así de chiquitas, que empezaron vea a brotar. Toda la tierra llena de hojitas verdes. No se podía dar un paso sin aplastar montones. Pero no bien usté venía de aplastarlas ellas volvían a brotar. Algunas quedaron chicas chicas nomás como aparecieron. Pero otras empezaron a crecer de firme y cuando menos nos descuidamos ya estaba toda la isla llena de yuyos de sapo, de verbenas, de cardos, de sauces, de curupíes, de algarrobos, de laureles. Había tantas plantas que ya casi no se podía caminar, y si usté quería llegar de una punta a la otra de la isla tenía que ir abriéndose paso con un cuchillo. Había unas flores coloradas grandes así. Usté las cortaba y volvían a salir. De más crecían, vea, de más. Por gusto nomás hubiese sido lindo que usté hubiera visto lo que era la isla antes de los aguaceros para darse una idea de lo que le estoy diciendo: toda chata y de una tierra blanca, blanca, sin una sola hojita verde. Y no va que un día que andamos atravesando la isla a golpe de cuchillo ya le digo porque si no no había forma de avanzar, cuando llegamos a la otra punta y nos paramos en el filo de la barranca vemos que enfrente, a unos trescientos metros más o menos, hay otra isla igualita que la nuestra. A mí se me hace que había sido la misma islita apareciendo otra vez arriba del agua, tantas veces que terminó por formar otra isla grande y de seguro que ya estaba para el tiempo de los aguaceros porque era también toda verde. A lo lejos se divisaban otras islas iguales. Ya no era más como antes que no se veía más que pura agua. Ahora, agua, no le voy a decir que no había. Pero ya vea no estaba toda alrededor como antes. No, vea, ahora pasaba vea entre las islas, para el sur, despacito, y usté no veía moverse más que los bordes, pegando siempre vea contra la barranca y comiéndola de a poco.

No le quiero mentir con el tiempo que pasó. De noche, después de la época de los aguaceros, se veían en el cielo unos puntitos que echaban brillo, sobre todo cuando no aparecía la luna que es redonda y mucho más grande y echa tanta claridad en el cielo que los puntitos casi que ni se alcanzan a divisar. No va que una vez que bajamos la barranca y nos sentamos al lado del río vimos salir del agua unos animalitos de lo más raros. Eran chiquititos así. Usté los levantaba y se ponía a oservarlos y podía verlos a trasluz. Tenían cuatro patitas y una colita larga y la cabecita terminaba en punta como la cola. Cuando usté los tenía entre los dedos empezaban a coletear, julepeados. Empezaron a salir a montones del agua y eran del mismo color, como las lumbrices, que para esa época se pusieron a engordar. A mí se me hace que de gordas que estaban es que empezaron a salir de la tierra. No me va creer si se lo cuento: usté vio lo chiquititas que son y sin embargo empezaron a estirarse y a engordar, y una vez que yo estaba en la barranca mirando pasar un camalotal no va que de repente veo una lumbriz gorda como mi brazo que empieza a pasar por encima del camalotal y a meterse en el agua. Como a cinco metros adelante del camalotal vuelve a salir la cabeza, y eso que la cola todavía no había terminado de pasar por encima de los camalotes. Por la forma que tienen de culebrear, igualitas a las de las lumbrices, se nos dio por empezar a llamarlas culebras. Son más lindas de ver que las lumbrices. Parecen guascas trenzadas y todas pintadas de colores en el lomo. Vienen haciendo eses, las desgraciadas, y si usté las pisa por descuido capaz le saltan encima. Les gusta salir a lo seco a tomar sol porque son muy remolonas, y se quedan las horas enroscadas, durmiendo. Juegan con los pajaritos. Si por caso se topan con uno lo miran fijo y lo dejan como clavado en el suelo; después por jugar se le aprosiman despacito y se lo comen. No dejan vea ni los huesitos. Ni las plumas. En cambio los bichitos que veíamos salir del agua al ratito nomás se morían. Se secaban y quedaban hechos una cascarita transparente que cuando usté la quería agarrar se le hacía polvo entre los dedos. Por ver si vivían juntamos unos cuantos y los metimos en un tarrito con agua y los llevamos para el rancho. Empezamos a darles miga de pan y lechuga que al principio no querían comer, pero parece que después le agarraron gusto porque ya se salían del agua a la hora de la comida y se ponían a caminar por la parte de afuera del tarro y por el suelo. Engordaban que daba gusto. Como a la semana ya tenían un dedo de largo, y si usté los agarraba y se los ponía cerca de la oreja los sentía hacer unos ruiditos raros con la boca. ¿Me va creer si le digo que nosotros habíamos traído cuatro o cinco y que cuando menos nos descuidamos ya había como cincuenta? Para colmo a medida que iban engordando iban cambiando de forma. A algunos les desaparecía la cola, a otros les quedaba la cola pero les desaparecían dos de las cuatro patitas, a otros les crecían orejas, o plumas, o pelos, y hasta cuernos en la cabeza. Cuando menos nos dimos cuenta empezó a haber perros, pajaritos, nutrias, comadrejas, vacas. Vimos salir volando un pechito colorado y un benteveo.

De uno que creció grande y se llenó de pelo nos dimos cuenta de que era un caballo porque empezó a relinchar. En cuestión de dos o tres meses ya estaba la isla llena de animales. Veía las cotorras pasar chillando en bandada de isla en isla. A mediodía, siempre venía una pareja de torcacitas a sentarse en el paraíso y a ponerse a cantar. Era de más, vea, la cantidad de bichos que había. Ya hasta molestaban cuando nos pusimos a sembrar. No bien habíamos tirado el grano que ya bajaban volando las cotorras a picotearlo. Diga que la tierra era buena y daba de sobra todos los años.

Y menos mal, porque cuando empezaron a venir las desgracias, si no hubieran sido buenas las cosechas a esta hora estaríamos peor todavía de lo que estamos. No va que a uno de nosotros se le empieza a poner el pelo blanco, le empiezan a temblar las piernas, y un buen día se queda dormido y no hay forma de despertarlo. Se había puesto duro, vea, y blanco como ese papel. No sé qué le pasaría vea a ese hombre, porque por más vea que lo sacudiéramos ni un pelo se le movía y al otro día nomás empezó a echar un olor que ni acercarnos vea podíamos. Otro día amaneció lleno de lumbrices y despidiendo mucho más olor así que lo enterramos porque las lumbrices lo estaban dejando a la miseria. Hicimos lo más que pudimos y no fue culpa nuestra si no se despertó. No era justo, tampoco, no vaya creer, que él se la pasara durmiendo mientras nosotros salíamos a juntar la alberja a la mañana temprano bajo esas heladas. Ahora bueno, por si se despertaba, le dejamos eso sí unos salamines, sardinas, un litro de tinto y un poco de galleta. Al otro día nomás nos pusimos a discutir qué había que hacer si algún otro se nos dormía. Uno dijo que lo mejor era esperar hasta que le aparecieran las primeras lumbrices, y si para entonces no se despertaba, que nomás lo enterráramos. Eso estuvo bien dicho. Pero no va que otro pregunta qué es lo que hay que hacer si vemos que un hombre se nos está queriendo empezar a dormir. Decidimos que había que cachetearlo para mantenerlo despierto, pero cuando a otro se le dio por dormirse y le empezamos a dar de firme en la cara, se durmió todavía más pronto que el primero y a los dos días nomás ya lo estaban banqueteando las lumbrices. Vimos que si todos se nos empezaban a tirar a muerto como los dos que habíamos enterrado, en cuantito nos descuidáramos nos íbamos a quedar sin brazos para la cosecha. Daba asco ver cómo las lumbrices nos estaban cuatreriando los hombres.

Días enteros nos pasamos reflesionando. Tanto, que cuando nos descuidamos se nos había pasado el tiempo de la cosecha y las sandías se nos fueron en vicio. Así que hubo que volver a reflesionar. A la final nos pusimos de acuerdo en que con uno solo que reflesionara bastaba. Elegimos al más cabezón. Le dijimos que tenía que ver de evitar que los hombres se nos empezaran a dormir y también que tenía que ver de evitar que la sandía se nos fuera en vicio cuando nos demorábamos reflesionando. Ahí mismo nomás empezó a reflesionar el Cabezón. Medio cerró los ojos como si lo molestara la resolana y se empezó a tirar despacito la punta de la oreja. Ha de engordar los piojos, la reflesión, porque ahí nomás se le dio por rascarse la cabeza. Y no va que después de un momento dice que viene de reflesionar algo, que era vea lo que sigue: que el tiempo que se la pasara reflesionando había que mandarle algún regalito para mantenerlo más o menos gordo. Que cualquiera podía juntar la cosecha, pero que para reflesionar había que ser cabezón de nacimiento. Que si no acetábamos era mejor para él, porque era una gran responsabilidá y se estaba toda la vida mejor juntando la cosecha que reflesionando. Estuvimos discutiendo un rato largo pero al fin acetamos. De cada diez gallinas, una era para él; de cada diez sandías le dábamos una. Peliamos un rato la cuestión de la sandía, porque el Cabezón la quería calada, hasta que al fin lo convencimos. Se me hace que a la larga le resultó mejor que le diéramos las sandías sin calar. Porque como nosotros éramos como treinta, cada vez que nosotros cosechábamos cada uno nueve sandías él cosechaba treinta, sentado nomás en su rancho déle reflesionar y mateando a la sombra. Misma cosa con las gallinas. Así se estaba el Cabezón mateando a la sombra y reflesionando, el santo día, y al cabo de un tiempo usté ni podía caminar por el patio de su rancho de la cantidad de pollos que andaban picoteando en el patio y de las pilas de sandías que eran más altas que el rancho, y no le esagero. Nunca más las pidió caladas y acetaba igual las que estaban un poco verdes, total maduraban solas en el patio. Cuando pasábamos frente al rancho, a la hora que juese, siempre veíamos al Cabezón mateando a la sombra de los paraísos, con los ojos medios cerrados fijos en la pila de sandías. Parecía sacar de ahí las ideas. Cuando otro se nos empezó a tirar a muerto y lo llamamos, el Cabezón lo miró un rato y le tocó la barriga, le palpó las piernas, le abrió la boca y le miró la dentadura, y después dijo que el hombre no tenía más remedio, que se iba a la quinta del Ñato. Se iba a trabajar conchabado a esa quinta, el hombre, parece, dijo el Cabezón. Dijo que más valía enterrarlo en seguida que empezara a mandar olor, para no dejárselo a las lumbrices que ya lo debían andar olfateando. Y a más dijo el Cabezón que día más día menos todos íbamos a terminar conchabándonos en esa quinta y que más valía tratar bien a los que iban enterrando y a sus familias para que los que se adelantaran no nos dieran una mano de bleque con los patrones. Convenía andar bien con ellos, dijo el Cabezón. Y a más nos dijo que cada vez que alguno se empezara a venir abajo que le lleváramos una ponedora, o un poco de trigo, o un esqueleto de vino común que él lo iba hacer llegar a la quinta del Ñato para que allá vieran que por estos lados se les tenía consideración. Después sacó del bolsillo un pedazo de cresta de gallo así de chiquito y se lo puso en el bolsillo al que estaba echado en el suelo, que ya casi ni se movía. Dijo que con esa cresta los de allá iban a reconocer que de este lado todo estaba en orden. Era un pedacito de cresta colorada, no una cresta entera. Lo usábamos como santo y seña, que le dicen. Y cada vez que alguno empezaba a temblequear y a querer dormirse, íbamos con una ponedora al Cabezón y él nos daba un pedacito de cresta, ya casi reseca, mire, y se me hace que había de haber estado guardando las crestas de los gallos que metía en el puchero. Ya era de más la cantidad de ponedoras que tenía, y había montones de vino común, tinto y abocado, porque el blanco no lo acetaba, en el patio y de seguro también adentro del rancho. El Cabezón estaba medio tapado entre tantas cosas y apenas si se lo divisaba bajo los paraísos cuando se sentaba en una silla baja a matear, a la tardecita. Y no va que se nos viene otra vez una época de aguaceros y la cosecha de sandía se nos aguó toda. Algunas se fueron en semilla, otras usté las abría y eran pura agua, más blancas que ese papel, otras se quedaban así nomás chicas y no crecían más, un asco de desabridas. A la final no había una sandía ni para remedio. Nos vamos entonces a lo del Cabezón —medio tapado ya le digo entre las sandías y los esqueletos de vino y las gallinas que se la pasaban dando vueltas al pedo por el patio— y le decimos que se nos aguó la sandía y que si sigue el agua se nos va a echar a perder también el máis. Nos dice el Cabezón que la tormenta se para fácil: se hace una cruz de sal gruesa en el suelo, se busca un sapo macho de los más grandes, se lo pone panza arriba, se le abre en cruz el vientre con un cuchillo de punta bien afilado, se le sacan afuera las achuras y se deja que la sangre corra por el suelo sin tocar los granos de sal. Le traemos el sapo y la sal, porque dijo que la de él no servía, y hace todo como lo había dicho y usté no me va creer si le digo que al mes el agua paró. Justito vea al mes, no le miento. Lástima que ya el máis estuviera perdido. Entonces vamos y le decimos al Cabezón que la lluvia nos ha dejado sin máis y sin sandías, que si nos puede emprestar alguna hasta la prósima cosecha. Emprestar emprestar, el Cabezón dice que no puede, pero que si nos sobra una vaquillona, o un ternerito, o alguna otra cosa que no nos sea de mucha utilidá, él nos puede dar algunas sandías a cambio. No había mucho que mañeriar, así que acetamos. A los que no tenían ningún animal, el Cabezón les dijo que se fueran tranquilos, que él los iba ayudar a todos y a nadie le iba faltar sandía en su mesa; que esas sandías él se las había ganado con el sudor de su frente, reflesionando, pero que ya iba arreglar para que todo el mundo quedara contento. El hombre no faltó a su palabra. A los que no tenían animales, les cambió el terrenito, el rancho, la próxima cosecha. Y a los que no tenían nada el Cabezón los conchabó para hacer algunos arreglos en el rancho, agrandar, poner alambrados, podar los árboles, cebarle mate, blanquear las paredes y otros trabajitos que venían haciendo falta. Al fin de la jornada, cada uno se llevaba su sandía. Cada uno se sentaba a su mesa bajo el farol, a la noche, y tenía su sandía partida en cuatro pedazos. Usté veía el agua fresca correr y las semillas negras pegadas a la madera de la mesa. Se veía lo más bien que el Cabezón era hombre de palabra; yo le había estado alambrando como una semana, desde el amanecer hasta la noche, y después que le prendía el fuego y le ponía una tira de asado en la parrilla, él siempre me daba mi sandía y me decía que me la llevara para mi casa. Nunca me faltó; siempre que prometió la sandía, siempre yo me la llevaba para mi casa. Por eso una mañana desaté la canoa, puse adentro las pocas cosas que tenía en el rancho, y empecé a remar por entre las islas cosa de encontrar alguna donde afincarme y hacerme una posición, porque tanta sandía ya me estaba dando un principio de cursiadera.

No le quiero mentir con el tiempo que pasé remando. A la nochecita me arrimaba a las orillas y pernotaba bajo los árboles. Siempre picaba alguna cosita: un surubí, un dorado, un armado chancho, una vieja del agua. Si había pesca de más la cambiaba por vicios en algún almacén. Nunca me faltaron los Colmena, ni la yerba ni el vino tinto. Una vez me pelié con un tuerto grandote que se había emperrado en no dejarme salir de su rancho, de la tranca que tenía. Al fin seguimos chupando hasta que se durmió y entonces aproveché para fletar la canoa en la oscuridá y desaparecer. Más adelante dormí una noche en la canoa, balanceándome, mirando las estrellas que para esa época estaban empezando a amarillear. Estaba medio adormecido y escuché una voz que empezó a hablarme en la oscuridá. No le entendí lo que decía pero me julepié bastante y me puse a remar para no seguir escuchando. Sonaba fulera. No parecía de cristiano. Más bien eran como ánimas en pena o como lloronas. Dos veces me topé la luz mala, culebreando en la orilla, y seguí de largo. Otra vez, en otra isla, la chancha encadenada se andaba paseando entre los matorrales y la vi patente cómo se refregaba la trompa contra un árbol. Era blanca y se oía el ruido de la cadena que arrastraba. Seguro que me vio porque cuando ve a un cristiano empieza a crecer y se vuelve del tamaño de un caballo. La dejé nomás en la isla, llorando y comiendo basura, y al rato supe que era viernes a la noche porque en otra isla que bajé oí que aullaba un lobizón. Me di cuenta que no andaba por buen camino. No le quiero decir que perdí el rumbo, no, porque el pobre es como perro atropellado por camión, que anda siempre sin rumbo. Pero se veía bien que por esos lados no iba encontrar ninguna solución y que era mejor cambiar de camino. Ahí lo tenía usté al hombre remando otra vez de sol a sol y durmiendo en las orillas meses enteros. Cuando llovía, usté podía ver el río arrugado como la hoja de la escarola. En el verano más vale no le cuento. Con el agua del río usté podía cebarse mate tal como la sacaba, y a veces se le quemaba la yerba. Para colmo a la tardecita se levantaba la mosquitada en las orillas y si usté se acostaba a dormir se lo comían vivo. Había que hacer humadera con un poco de liga seca para espantarlos, y ni así se iban. Usté no veía a dos metros entre esas nubes negras de mosquitos gordos como este dedo que se le venían encima. De una isla a la otra se veían unas manchas negras antes que oscureciera y hasta se oían los zumbidos. Como esos mosquitos andaba yo, levantando vuelo de un pantano al otro atrás de algo vivo para prenderme y engordar. Más adelante me entreveré con una curandera que me tuvo un tiempo como engualichado y que se había aquerenciado conmigo. Viví con ella pero al final terminé por cansarme porque era una mujer de ésas a las que les gusta llevar ellas los pantalones. En su rancho no faltaba nada, produto de los regalos que le hacían cuando las curaciones. Les tiraba el cuero a los muchachos enpachados, curaba el mal de ojo con un poco de agua y aceite, les enderezaba los nervios a los recalcados echando unos granos de trigo o de máis en un tarrito con agua. A mí se me hace que ha de haberme metido algún yuyo en el mate sin yo saberlo, y que por eso me quedé. Mal mal, la verdá, no se estaba. Era muy regalona, y tenía mano para la cocina. Adobaba los bagres como ella sola, para sacarles el gusto a barro. Pero cuidadito con que yo hablara de seguir viaje. Se ponía más mala que raya que le cortan la siesta. Meses enteros jugó conmigo como gato con yarará. Siempre que iba al pueblo volvía con algún chiche: algún pañuelo de seda, perfume (mire si yo me iba andar perfumando) y una vez hasta un cinturón. Un día tuvimos una discusión por la cuestión de siempre y a la noche me despierto y la descubro rondando la cama con un cuchillo. Viejo, dije para mí cuando la vi con semejantes intenciones, ya es hora de que fletés otra vez la canoa y te pongás a remar en la dirección por la que has venido. Así que esperé como una semana y cuando ella se fue un sábado de compras al pueblo, empujé otra vez la canoa al agua y salté encima. Meta otra vez a remar, y ahora para colmo río arriba. Pierdo la cuenta de los días. Siempre el hombre sentado en la canoa, de espaldas a la dirección que llevaba, luchando siempre contra la corriente que por esos tiempos hacía mucha juerza contraria porque eran años de crecida. A más, había más islas y riachos que mosquitos. Por más que busqué no hubo forma de conchabarme. Entre la crecida y los cabezones no había nada que hacer y todo el mundo andaba galgueando. Por eso cuando toqué la orilla de mi islita y empecé a subir la barranca y a recorrer el caminito de arena, el corazón me empezó a golpear juerte en el pecho. Más juerte me golpeó todavía cuando divisé el paraíso y el frente del rancho. El Negro y el Chiquito estaban tirados a la sombra, tascando cada uno un garrón. Ella tejía también a la sombra y el muchacho estaba viniendo desde el fondo justito en ese momento. Usté no me va creer si le digo que a gatas me reconocieron por la voz. Cuando entraron en confianza, el Negro y el Chiquito me saltaron encima queriendo lamberme la cara y no había forma de hacerlos serenar. El muchacho me bombeó un poco para que yo me refrescara y cuando volvimos adelante ella estaba llenándome el primer mate. Hay que haber andado lo que yo anduve y visto lo que yo vi ya le digo para saber lo que es tomar un amargo en las casas, con la patrona y el hijo, sin miedo de que le ronden a uno el sueño con una faca ni haiga ningún peligro ya le digo de que el mate venga engualichado. Mateando me cuentan que han pasado las mil y una y a la nochecita, cuando estamos viendo una tira asarse despacio sobre la parrilla, ella me dice que ya estaban por darme por muerto y que más de un gavilán la rondaba. Al rato nomás comimos y nos fuimos a dormir.

Como ya estábamos solos en la isla —yo, ella y el muchacho, y el Negro y el Chiquito ya le digo— nos pusimos a limpiar el terreno y al tiempo quedó un primor. No dejamos ni un yuyo ni atrás ni adelante. Rodeamos todo con alambrao y dirigimos la parra del fondo con estacas y travesaños. Plantamos árboles nuevos y trasplantamos otros que necesitan el trasplante para irse para arriba. Dejamos lugar en el medio del fondo para el limonero real, cosa de que ni lo secaran otras raíces ni lo ahogaran las ramas del paraíso en verano ni de los naranjos en invierno. Como está en flor todo el año hay que darle mucho lugar. Cuando le saqué los injertos usté veía el tronco derecho y arriba la copa llena de flores y unos limones amarillos grandes así. A más tenía botoncitos que a gatas si estaban empezando a reventar y también limones verdes más chicos y otros todavía más chiquitos, como aceitunas. Estaba ahí ya le digo desde antes de yo nacer, siempre igual, con las florcitas blancas que se venían al suelo despacio cuando usté sacudía las ramas para arrancar un limón. Todo el suelo alrededor se ponía blanco de flores. Hasta de noche echaba como una luz ese árbol. Y esas flores blancas no paraban nunca de florecer ni de venirse al suelo. De lo que quedaba de las florcitas salían los limones. También teníamos pollos y dos o tres ponedoras, y unos caballos. Andábamos a caballo por la isla cazando nutrias, comadrejas, y pasábamos con la canoa verde a la otra orilla donde estaba el rancho de Rogelio. De ahí íbamos con Rogelio y ya le digo los muchachos al almacén de Berini. Jugábamos a las bochas, al truco y al sapo. Tomábamos cerveza del pico de la botella, abajo de los árboles. Volvíamos a las casas por el camino. Los muchachos se nos adelantaban corriendo, se paraban y se quedaban atrás, después nos pasaban corriendo de nuevo y de nuevo se nos adelantaban, se dispersaban por el campo y después se nos volvían a poner a la par. Toda la familia trabajando después en el alberjal. Todo la familia juntando sandías y cosechando el máis. Hasta los viejos. Hasta los hijos de Agustín. Hasta Agustín. Y no va que volvemos a casa al mediodía, yo y el muchacho, y ella me dice que ha estado el Cabezón y me ha dejado una cosa. Qué iba venir a dejarme el Cabezón a mi casa. Lo ha enterrado en el fondo, dice ella, al pie del limonero. Y le ha dicho el Cabezón, dice, ya le digo, que es para mí solo y para nadie más. Vamos al fondo y vemos que al pie del limonero está la tierra removida. Ganas ganas de ver lo que hay abajo, no quiero mentirle, no me dan. Ella me da un palo seco, todo torcido, que termina en una punta finita, para que me ponga a cavar. Yo le digo que más vale cavo otro día y me quiero volver adelante, pero ella empieza a escarbar con el palo, haciendo un aujerito sobre la tierra removida, hasta que la punta del palo se quiebra y ella lo tira para arriba. El palo va a dar contra las ramas del limonero, que se empiezan a sacudir. Sale volando una bandada y las florcitas blancas se empiezan a caer. Caen hasta decir basta. Y no paraban vea nunca de sacudirse las ramas. Hacían un ruido como de lluvia y de viento. Va el muchacho y busca en el suelo alguna otra cosa con qué cavar. Trae una costilla chiquita, cuadrada, que le dicen, se arrodilla y se pone a cavar. Hace un aujero grande en la tierra, mete el brazo, pero no encuentra nada. Me dice que ha de haberse corrido para la parte de adelante, por abajo la tierra. Vamos todos adelante y vemos que cerca del paraíso el suelo se empieza a rajar, despacio, y empieza a volar tierra, como si estuviese cavando un tucu-tucu. Cuando la tierra dejar de volar, ella se arrodilla y mete la mano. Saca una latita de sardinas, abierta, que tiene adentro un algodón. Me la da. Yo no quería vea por nada del mundo sacar ese algodón, no quería. Ella me dice que lo saque. No me va creer si le digo que se reía. El muchacho dice que se va dar un chapuzón. Me voy al dormitorio con la latita en la mano y la dejo sobre el arcón. Ahí queda varios días. Nadie la debe de tocar. No dentramos al dormitorio más que para dormir. Y no va vea que una mañana me levanto y voy a poner el pie en el suelo y cuando apoyo toco la latita con la punta del dedo gordo. Me quedo sentado en la cama, palpando con la punta del dedo el borde de la latita y el algodón, sin mirar para abajo. Palpo mucho el algodón. Con la punta del dedo lo levanto y toco lo que hay abajo. Parece un pedacito de cuero, duro, medio áspero. Después alzo la latita y miro: abajo del algodón levantado hay un pedacito de cresta de gallo, viejo, endurecido y medio negruzco. Me lo acerco a la nariz y siento que echa mal olor. Está apoyado sobre otro algodón que hay en el fondo de la lata. Salgo al patio y tiro la lata al monte, por encima del tejido. Y no va que viene el Chiquito y me lo trae otra vez. Vuelta a tirar la cresta, esta vez sin la lata, y vuelta a traerla el Chiquito. Vuelta a tirarla; vuelta el animal a traérmela. La dejo sobre la mesa y me pongo de espaldas para no verla, vea. Y entonces viene el muchacho y no va que me pide la cresta para dice injertarla en el limonero. Dice que de injertarla en el limonero va perder el mal olor y va servir después para abonar la tierra. Lo dejo que se la lleve. Pero cuando voy a buscarlo al fondo, amargado ya le digo porque no me gustaba nada el asunto de la cresta, ella viene llorando a decirme que se lo han llevado a la milicia por culpa de la cresta, que por esa cresta lo han reconocido y se lo han llevado. Que no vaya ser que lo maten en alguna revolución. No es verdá, le digo, está injertando la cresta al limonero, en el fondo. Pero cuando voy no lo encuentro. En cuantito me voy acercando empiezo a oír el ruido de las ramas, como de lluvia y viento. No hay sol, está medio como nublado. Efetivamente, el limonero está sacudiéndose porque el palo que ella ha tirado al aire se ha quedado agarrado entre las ramas y las hace sacudir. Empiezo a saltar para agarrar el palo, pero no lo alcanzo. Y el árbol se sacude cada vez más fuerte, con ruido de lluvia y de viento. Casi ni se ve entre las florcitas blancas que caen despacio. Las ramas parece como que van a quebrarse. Salto otra vez y quedo sentado en la cama, oyendo el viento y la lluvia. Amanece.

Cuando está dormida, parece una muerta; despierta, parece dormir. No oye vea nada. Anda el santo día de un lado al otro y usté capaz la lleva por delante y ella ni lo ve. Ahora respira despacito, que ni se oye. Capaz que está despierta. Ha de haberse metido temprano en cama ayer. No hubo forma de llevarla. Yo primero a la mañana ya le dije de venir, y ni cuando vinieron las hermanas la pudieron convencer. Otro año más que ganó. Seis ya van que llevamos al tira y afloje, yo con querer que ella salga a airearse aunque más no sea un poco, ella emperrada en que está de luto y que de luto no se debe de salir. De luto no se debe de salir, no, pero ya van a ser siete años y ella siempre emperrada en lo mismo. Por mucho que le hablaron entre todas no la pudieron convencer. No es forma de atuar que vengan vea las propias hermanas el día de fin de año y uno se emperre y se mantenga firme diciendo que está de luto y que de luto no se debe de salir. Aunque sea el propio hijo se debe un día de olvidar lo que pasó y salir ya le digo un poco a ver qué pasa en el mundo de afuera. Aunque sea el propio hijo ya le digo porque a los muertos hay que rechazarlos más vea que a la bosta. Para mí la ley es lo que uno quiere hacer. Y no siempre es fácil darse cuenta, no, ya le digo. Pero de que hay vea que rechazar a los muertos más que a la bosta no tenga vea ninguna duda y de eso esté seguro porque póngale la firma que es como ya le digo le estoy diciendo. Nomás la música empezó a sonar ya empezaron mis pieses a ponerse inquietos y a como querer saltar en el lugar donde estaban. Voy dejando pasar una pieza y otra y otra más después hasta que se pone a sonar "El aeroplano" y ahí nomás cruçé el patio entre las parejas dejando solos a los músicos y la saqué a bailar. Se estrenó conmigo. Yo empecé a dar vueltas con la chica y las otras parejas ya le digo nos hicieron cancha y abrieron un círculo alrededor, golpeando las manos primero y después sin hacer más nada o por lo menos así me pareció. Digo que me pareció nomás porque desde el momento en que empecé a bailar ya no vi más nada; sé que sonaba la música pero hasta la música dejé de oír. Mientras bailábamos, hasta de ella me olvidé. Yo daba vueltas primero al compás del "Aeroplano" con mi sobrina la Teresita mientras los parientes nos hacían cancha formando un círculo alrededor, pero después ya todo eso no estaba más y no sé si habrá sido el vino o lo qué, o lo tarde que era, pero en la mitad de la pieza yo ya me había olvidado de todo y me movía, daba que le dicen vueltas bailando, y a esa altura ya vea no podía decirse que bailaba porque no había más música ni nada, por lo menos para mí. No había lo que se dice nada. De todo me olvidé ya le digo. Había luz, pero no estaban más los faroles; música, pero sin que se oyeran los instrumentos; olor a paraíso, pero no había más paraísos. Eso vea siguió hasta que dejé de bailar. Siempre como en pedo de contento me fui despidiendo de todos con un paquete de huesos para los perros y un poco de cordero en un plato que metí en la canasta y subí a la canoa y me puse a remar para las casas. Iba cruzando el río que estaba ya le digo muy tranquilo y negro y la luna llena estaba baja y muy grande. Usté la podía ver ahí nomás, encima de su cabeza. Eso me ha de haber durado lo menos una hora, porque me desperté cuando toqué la costa con la canoa y salté a tierra. Ya mientras iba subiendo la barranca y volvía por el caminito de arena en dirección al patio, llevando conmigo la canasta, veo otra vez las sombras de los perros que se me abalanzan en la oscuridad y me acuerdo de que ella ha de estar durmiendo. Me acuerdo de que se va despertar cuando yo dentre. Me acuerdo de que va hacer como si siguiera durmiendo. Me acuerdo de que no ha querido ir, diciendo que está de luto. Me acuerdo de cuando pasaba corriendo por el patio, con el pantaloncito azul descolorido, y desaparecía después en dirección al agua y me acuerdo que por un momento no se oía nada hasta que después resonaba el golpe de la zambullida. De todo eso me empecé a acordar cuando la canoa tocó la costa y saqué la cadena. Y cuando más me iba acercando al paraíso y a la mesa, más ya le digo me acordaba. Que ella no sepa que me olvidé; no, más vale que ella no sepa. Que no sepa que me olvidé desde que crucé el patio bajo los faroles y fui derecho hasta el vestido floreado. Se borraron los instrumentos y los faroles ya le digo, pero siempre quedando la música y la luz. Y después junto los paquetes, los meto en la canasta, pongo la canasta en el fondo de la canoa y empiezo a remar a la luz de la luna llena. Ni una nube vea en el cielo que hiciera pensar en esta lluvia de ahora que el viento trae contra el rancho por los cuatro costados y que deja primero en las hojas de los árboles y después vuelca en la tierra sacudiéndolas. Se oye todo al mismo tiempo y se confunde ya le digo el ruido del viento, el de la lluvia y el de las ramas. La luz de los refucilos entra por las rendijas antes de que el ruido de los truenos venga bajando cada vez más ligero y más fuerte hasta chocar contra el techo de paja y hacer temblar todo el rancho. Ni una sola nubecita no vi anoche que le hiciera pensar a usté que iba a venirse semejante tormenta. Anoche no había más que la luna llena y el ruido de los remos en el agua. El ruido de los remos en el agua, pero no estaban ni los remos ni el agua. Ni los remos ni el agua ni los instrumentos ni los faroles. Pero cada día que pasa el sol sale de nuevo y usté no podía pensar ya le digo que no habiendo anoche ni una sola nubecita se nos iba venir encima semejante tormenta esta mañana. Por eso digo yo que a los muertos hay que rechazarlos más que a la bosta y que más vale empezar cada día junto con el sol aunque sepamos que las ánimas andan vea olfateándose en el infierno. Empezar cada día con el sol, subiendo despacio, hasta pegar de firme y derecho como cuando veníamos por el camino en dirección al almacén de Berini. Yo digo siempre que pega más fuerte cuando sube que cuando ya está arriba del todo, antes de empezar otra vez a bajar. Nos daba de lleno en la cabeza y yo sentía ya le digo la camisa echa sopa pegada a la espalda y a no ser por el sombrero de paja seguro nos insolábamos. Yo veía adelante el camino blanco y derecho, y al fondo el calor subiendo desde la tierra y enturbiando que le dicen el horizonte. Más avanzábamos más nos costaba avanzar. No va que llega un momento en que me parece que casi no avanzo más. Pero miro a Rogelio, que va al lado mío, para ver si él también se ha parado y no, sigue caminando, sin sacarme distancia ya le digo, siempre a la par, y cuando doy vuelta la cabeza otra vez me empieza a parecer que no avanzo aunque siempre sigo teniendo al lado a Rogelio que marcha firme y sigue en todo momento a la par. Hay cómo le puedo decir sol únicamente y no luz porque usté mira alrededor y ve todo envuelto en un aire de un blanco que tira a gris, como si acabaran de pasar carros por el camino y no hubiese todavía terminado de asentarse la polvadera. Después de tanto marchar tengo los ojos mojados como si me hubiesen estado saltando las lágrimas. Ha de ser por eso que veo todo medio borroso. Después vemos venir desde el almacén de Berini un caballo blanco tirando un sulky y levantando polvadera. No llega nunca. El caballo es casi casi del color del aire así que ya le digo no se le divisan más que los vasos y el hocico, negros. Da la impresión de que los arneses vienen colgando en el aire o de las varas, pero sin caballo o de caballo nada más que los vasos y el hocico negro que caen más adelante y abajo de los arneses. No levantan más polvo del que ya vemos flotar. Así que cuando vea nos pasa al lado el aire está nomás un poco más blanco y cuando entramos en el patio del almacén y sentimos encima de nosotros los árboles, el aire se enfría de golpe, y más todavía y más de golpe cuando entramos del patio al almacén. Berini lo ayuda a Agustín a levantarse ya le digo y entran atrás de nosotros y nos tomamos unos vinos contra el mostrador. Salimos anocheciendo. Buenaventura tocaba ya le digo despacio el acordeón, abajo de los árboles, entre los que colgaban los faroles apagados, porque todavía quedaba mucha luz. Ya se había levantado la mosquitada y nos fuimos cacheteando todo el camino, en la cara, en la nuca, en los brazos, en el pecho. Ya estaba el aire azul y las nubes negras no me va creer si le digo que resaltaban, las nubes negras que eran una sola nube negra desde el almacén hasta las casas. Una sola nube negra levantada en toda la costa y comiéndonos vivos y haciéndonos marchar los tres en fila india y a los cachetazos. Ya se encendían los primeros faroles. Entre el aire azul y la nube negra la oscuridad era cada vez más grande y a más teníamos que volver a los santos pedos porque el cordero estaba en la parrilla ya le digo y yo lo había dejado a cargo de los hijos de Agustín por un rato. Saltaron todos los que estaban en la mesa, bajo los árboles, tomando cerveza, cuando apareció volando por la puerta y cayó en el suelo de tierra que de tan apisonado no dejó levantar ni una nubecita de polvo. Voló el sombrero de Agustín. Venía vea saliendo Berini del almacén se me hace que para golpearlo en el suelo. Todos vea estábamos ya le digo duros porque Rogelio y yo nos habíamos ya le digo parado en seco. Nadie no se movió. Fue Rogelio el que reaccionó primero y Berini se paró también en seco cuando vio que Rogelio se le estaba viniendo encima. Lo que más lástima me dio no fue tanto ver a Agustín en el suelo, medio sentado ya y ya le digo como queriendo levantarse, con los redondelitos de sol que se colaban entre las hojas y se le venían a estampar encima, sino verlo a Berini y no tanto en el momento en que se paró cuando vio que Rogelio se le abalanzaba sino cuando salía del almacén y él se le venía encima a Agustín. Lástima me dio vea ese hombre. Porque de Agustín, qué quiere que le diga. Ya se sabe que las culebras comen tierra. A un caballo usté le da pasto y oro y va ver que prefiere el pasto. Al que es bruto, ni las orejas ni los ojos no le sirven. Rogelio le dice nomás que lo levante. Nomás como le vengo diciendo que lo levante le dice, ya le digo. Ni nos paramos a esperar cuando Berini se agacha a levantarlo. Pasamos al lado de ellos y entramos en el almacén donde a más de estar fresco y recién regado con agua y criolina no llegaba la resolana que estaba castigando sin asco en el patio y en el campo. Ya se encendían los primeros faroles por todo el campo cuando volvíamos a los cachetazos entre el zumbido de los mosquitos. Usté sabía dónde estaba cada rancho por la luz del farol. Y donde no se divisaban luces los árboles se recortaban bien negros contra la oscuridá. La cuestión es que llegamos a lo de Rogelio ya noche. De unos doscientos metros ya nos llegaban las voces y el olor del asado. Habían puesto liga a quemar adelante para espantar los mosquitos que ya estaban empezando a asentarse otra vez cuando llegamos. Los perros nos vinieron a recibir en la oscuridad sin ladrar, saltándonos encima y queriéndonos lamber la cara. Porque los perros les ladran nomás a los que no conocen. En cuantito llegué me hice cargo del cordero. A más de las brasas había una fogata al lado de la parrilla y los muchachos me entregaron el cuchillo y el tenedor apenas me vieron llegar. Las achuras ya estaban por estar listas. Dije que al chimichurri hay que sacudirlo para que no se eche a perder. Los muchachos anduvieron merodeando un rato igual que los perros, y después se fueron para adelante ya le digo y me dejaron solo. Me quedé mirando la fogata, con los ojos clavados en las llamas. A mí me da como miedo vea el ruido del fuego y en cuantito veo una fogata me pongo a pensar en las grandes quemazones para el tiempo de la seca. Siempre algún fuego queda encendido; cuando usté apaga una fogata, cuántas más no siguen ardiendo en toda la costa. Por más agua que usté eche encima de un fuego, siempre hay otro fuego despierto que acaba de nacer en algún rancho de la costa o en el medio de una isla. No esté nunca seguro de haber apagado bien una hoguera. Siempre queda alguna brasa trabajando. Y cómo le puedo decir, no hay trabajo que rinda más y más pronto que el del fuego. Se hace como quien dice rico en seguida. Y si usté le quiere disparar, él va siempre más ligero que usté. No se olvide que usté descansa y él no. No se olvide que la misma fogata que usté acaba de apagar, otro la está soplando del otro lado del camino. Hay un solo fuego, vea, uno solo, siempre prendido, y es al pedo que uno le quiera disparar porque él no descansa. Ni esta lluvia ni este viento que están castigando ahora no pueden nada tampoco porque ahora mismo hay mil braseros bien reparados adentro de los ranchos. Al agua usté la puede nadar, pero no al fuego. Vaya y haga si se anima la prueba de nadar en el fuego, a ver si puede. Estaba ya le digo mirando las llamas y escuchando el ruido del fuego que nunca para tampoco y si no me cree póngale la oreja a un montón de ceniza y va ver. Más bajito usté oye el mismo ruido en la ceniza que en el fuego. Es que ahí mismo en la ceniza ya se está preparando el fuego que se va venir. No descansa, ya le digo. En tiempos de seca me he quedado la noche entera velando porque de un momento a otro me parecía que iba empezar a sonar a lo lejos el ruido de las llamas comiéndose los pastos a la redonda y dejando negras las islas. Después que pasaban las quemazones no quedaban más que el suelo negro, parejito, y de vez en cuando esqueletos de animales todos quemados, que blanqueaban. Y nadie vea las prendía. De las cenizas empezaban ellas solas. De golpe el ruidito de la ceniza empezaba a volverse más fuerte hasta que ardía. Solté la rama despacio, cosa de que no se sacudiera mucho y se viniera abajo el calzón, y me vine para las casas. Ahí me estaban esperando para decirme de venir con ellos a buscarla. Estaban todos parados en el patio de adelante. Yo tenía muy mal gusto en la boca por la siesta dormida en el suelo. Seguro que me estuvo dando el sol en la cabeza. Me dormí de golpe, con un sueño pesado, sin soñar nada, y cuando oí que me llamaban me pareció que no había pasado ni media hora desde que me tendí a descansar, y ya eran como las cinco y pico. Nunca no sueño nada. A veces me parece como que he soñado algo, parece como que voy a acordarme de que algo soñé, pero después no me acuerdo nada, porque no soñé nada y únicamente nomás se me hace que soñé algo porque ya le digo me empieza a venir algo así como un recuerdo. Después cuando me zambullí me pareció que era la segunda zambullida del día y no la primera, pero yo estaba bien seguro ya le digo de que era la primera. Cómo no voy acordarme a la tarde si me he metido en el río ese día. En cuantito toqué el agua y me fui al fondo me pareció que era ya le digo el segundo chapuzón de la jornada. Después vi las dos canoas que volvían, la verde adelante, atrás la amarilla. Me quedé metido en el agua hasta que amarraron y se fueron para la casa, para que no me vieran en pelotas todas esas mujeres. Ahora mismo vengo de despertar sin soñar nada. Soñé nomás con el viento y con la lluvia y empecé a escuchar el ruido antes de estar despierto. Pero nada más. Nada. Nunca. Ni rastro de sueño. Yo ya sabía cuando me desperté ya le digo que estaba lloviendo. Pero de sueño, ya le digo, ni rastro. Ya le digo, ni rastro ya le digo. Muerto también he de parecer yo cuando duermo. Me puse a jugar con los perros antes de que ella llegara del rancho al excusado y estuvimos un rato viendo venirse la mañana. Yo ya sabía que ella iba ponerse a hilvanar esas tiras negras en mis camisas. No bien se levanta se sienta bajo el árbol y se queda hasta media mañana meta hilvanar. Mucho no le veo necesidá yo a seguir toda la vida con esas tiras negras y a querer quedarse en casa diciendo que está de luto. Si uno se pone a la miseria con barro, no se va andar limpiando con barro, no. Más que irse quedando, quedando, a mí me gusta lo que se puede ver, entender y aprender. Haga de cuenta que yo no existo cuando ella me oye decirle que ya ha pasado el tiempo de luto y que ya es hora de que salga aunque más no sea para llegarse a ver a sus hermanas el último día del año. Para peor que la habían venido a buscar. Estaban sus dos hermanas con sus maridos y todos sus hijos y no faltaba más que ella para que la fiesta fuera completa. Después estaban también los viejos. Después los músicos también. Sacamos ya le digo un montón de fotografías. Primero nos pusimos todos juntos contra la pared, alrededor de los viejos, después salimos los hombres solos, después las mujeres solas, después los chicos solos, después los chicos con las mujeres. Después el viejo y la vieja solos. Ella nomás faltaba, vea, ella sola. Después todos se fueron del patio y la Negra nos puso a mí y a Agustín contra la pared blanca y nos fotografió. Ahí he de estar yo parado contra la pared al lado de Agustín con ese sol de la siesta dándome en plena cara. Ahí he de estar. No va saber el que la vea la foto que Agustín empezó a quejarse mientras estaba parado contra la pared al lado mío esperando que lo retraten. Se pone a decirle a la Negra que cuándo piensa mandar alguna ayuda a la casa, que él no ha criado a sus hijos para que después le paguen así. Justo en el momento en que estamos parados contra la pared blanca. Que ya que parecía que les iba tan bien en la ciudad, que por qué no se acordaban de los padres que habían hecho tantos sacrificios para criarlos. Usté mejor no habla le dice la Negra desde atrás de la máquina. Usté le dice mejor no habla. Nos tenía apuntándonos ya le digo con la cómo se dice con la máquina y no me va creer si le cuento que Agustín no volvió a abrir la boca y se quedó duro al lado mío. La Negra sacó la foto y se puso a guardar la cómo se dice en la bolsa que traía y créame si le digo que ni nos miró. Yo me apoyé contra un árbol y me quedé mirándolo a Agustín. Que yo sepa, en todo ese día ese hombre no volvió a hablar con su hija. No es que yo me haya andado fijando, pero ya se sabe que los ojos le erran menos que las orejas y uno ve. Ahora mismo nomás veo por las ranuras subir el día nublado. Usté ve clarito por las ranuras que no hay sol porque las rayitas que se ven tiran a gris y a más está oyendo el ruido del viento en las ramas y el agua que cae. Las orejas me dicen que está lloviendo tupido pero hasta que no salga afuera y eche una mirada no voy a saber. Ha de estar lloviendo por toda la costa. Ha de estar lloviendo en el patio. Ha de estar lloviendo en la isla. Ha de estar lloviendo en el patio de Rogelio sobre la mesa. Ha de estar lloviendo sobre la parrilla negra y sobre la ceniza. Ha de estar lloviendo sobre el río. Ahora ha de estar de un color gris. Ayer no le miento vea si le digo que estaba de un marrón tirando a colorado. Le caía ya le digo mucha luz encima porque el sol pegó fuerte todo el día y parecía como que lo iba tostando. A la tardecita se puso morado morado. A la noche ya le digo negro. Negro negro como el carbón. Con la luz de la luna que le daba de refilón y que se movía por la marejada de la canoa no le miento si le digo que parecía un brasero con una punta de llamas. Cuando empieza a ponerse amarillo, para el mes de enero, seguro que se viene la creciente. Ahora con toda esta lluvia ha de estar gris. Cambia mucho de color ya le digo; nunca parece el mismo río. Cuando toqué la costa a la madrugada con la canoa verde y salté a tierra me volvió todo a la cabeza y vine medio tambaleando y me acosté. Ya me estaban empezando a pesar los pieses. Ya estaba cansado. Hicimos dos veces ida y vuelta el camino hasta el almacén de Berini y a más parado mucho tiempo al lado de la parrilla atendiendo el cordero y manteniendo el fuego para que no anduvieran faltando brasas. A más el chapuzón de la tarde y el vino y la comida. Después de la comida corrieron la mesa grande y empezó el baile. Estuvieron meta milonguear desde que llegaron los músicos queriendo dar una serenata y se quedaron nomás toda la noche. Tocaron una punta de piezas. Merceditas, Rosas de otoño, dos veces La cumparsita, un fostro, El Choclo. La Loca de Amor, el Aeroplano. Con el Aeroplano crucé ya le digo el patio y la saqué a bailar. Vinimos bailando de una punta a la otra y después empezamos a dar vueltas sin parar y todos dejaron de bailar y se pusieron a mirarnos. Había faroles en los árboles. Todo el mundo iba y venía sin parar. En una de ésas los chicos se pusieron a tirar cuetes. Usté veía las manchas blancas de las camisas que entraban y salían de la oscuridá. Si iba al fondo a orinar en el excusado escuchaba patente la música que venía desde adelante. El ciego se tomaba medio vaso de vino entre pieza y pieza. Tenía el acordeón sobre las rodillas y cuando no tocaba lo dejaba apoyado contra el pecho. De los dos Salas, uno tocaba la guitarra y el otro cantaba pero tan despacito que no se le escuchaba casi nada. No se le entendía vea nada a ese hombre. Yo iba cortando el cordero en pedazos chicos y los iba repartiendo en la mesa. La Teresita me trajo el tenedor grande. Primero picamos las achuras alrededor

de la parrilla mientras el animal se iba dorando. Rosa separó
unos pedazos para que yo los trajera. Ahí han de estar ahora
en la cocina. Ha de estar lloviéndose en la cocina ahora por la
ventanita. Han de estar salpicando el plato con que tapé la
carne las gotas. Ha de estar lloviendo ahora atrás. Han de estar cayendo las gotas sobre el limonero. Han de estar golpeando contra las flores aflojándolas y haciéndolas caer. Tocaron
un chamamé y los muchachos empezaron a zapatearlo. Le-
vantaron una polvadera grande y eso que el suelo está apisonado y habían regado los chicos a la tarde. Usté veía las parejas moviéndose entre la polvadera. Los vestidos floreados, el
vestido blanco con rayas coloradas, la blusa amarilla, la blusa
azul que se movían y las manchas blancas de las camisas que
iban y venían de los faroles a la oscuridá y de la oscuridá a los
faroles. Quedó la polvadera colorada después que el chamamé terminó y todos se pararon. Todos parados y la polvadera colorada flotando a la luz de los faroles sin subir más en el
aire ya le digo ni caer. A gatas si pasó un minuto antes de que
vuelvan a empezar. Ni un minuto ya le digo no pasó. De golpe arrancaron con el Aeroplano. Usté viera lo linda que estaba esa criatura con el vestido floreado que le habían traído las
hermanas de la ciudad. Bailaba como ella sola sin perder el
paso ni nada. Ya no pensé más que en dar vueltas pisando con
la punta de los pieses y al rato ya ni en eso. Ya le digo, no sé
cómo le puedo decir. No sé como decirle ya le digo. Después
que el vals terminó empecé a despedirme. Me sentía lo más
bien. De los músicos primero y de todos los muchachos. De
las mujeres y de los chicos. De los viejos. Último de todos
me despedí de Rogelio que me acompañó hasta el patio de
atrás. Como pudimos nos abrazamos y subí a la canoa. Usté viera cómo iban cayendo los remos al agua sin hacer ningún ruido. A gatas si se los oía caer. Yo remaba despacio y a
medida que me alejaba iba oyendo la música cada vez más
bajita hasta que después se apagó del todo. La volví a oír
cuando toqué la costa. Mientras venía por el río no se oía ya
le digo ni el ruido de los remos. No me pesaban vea nada.

Ni que me hubiera estado llevando la corriente sola. Usté veía la luna llena bien baja y las orillas se divisaban patentes. Años hacía ya le digo que yo no me encontraba remando en la oscuridá tan tranquilo y sin pensar en nada. Pero en cuantito toqué la playa vino la última racha de música que ya le digo me despertó y cuando amarré la canoa y saqué la canasta y la cadena para amarrar ya me estaba acordando otra vez de todo. De que habían venido al pedo a buscarla, de que estaba durmiendo ahora mismo ahí adentro, de cuando pasaba corriendo por delante con el pantaloncito descolorido y se perdía por el caminito en dirección a la barranca y al rato se dejaba oír el golpe de la zambullida. Así que ya le digo me acosté. He de estar ahora parado al lado de Agustín contra la pared blanca del rancho. Ha de estar lloviendo sobre el patio. Ha de estar lloviendo sobre la mesa del patio por entre las hojas de los paraísos. Ha de estar lloviendo sobre la parrilla negra y sobre las cenizas. Se oye el ruido del agua y del viento en las ramas de los árboles. Ha de estar lloviendo sobre el limonero y las gotas han de estar golpeando contra las florcitas blancas aflojándolas y haciéndolas caer.

Amanece

y ya está con los ojos abiertos

Ha salido y ha jugado un momento con los perros después de levantarse y vestirse, ha comido dos brevas limpiándose dos veces las manos con dos hojas de higuera, ha visto desde la canoa amarilla, en compañía del Ladeado, una bandada de patos que, desconcertada por un giro brusco de su guía rompía la formación en ángulo y producía un tumulto momentáneo en el cielo, justo encima de la canoa, volviendo a formar en ángulo para retomar su vuelo en dirección contraria, ha tomado un par de copas en el almacén de Berini con Rogelio y Agustín, se ha sentado, de regreso del almacén, en el monte de espinillos que está más allá del claro para descansar de la caminata, mientras Agustín y Rogelio orinaban detrás y él oía caer los chorros de orín sobre el pasto ralo, ha llegado justo para ayudar a colocar las sillas alrededor de la mesa grande bajo los dos paraísos, ha aceptado, después de negarse dos veces, ocupar la cabecera que le ha ofrecido Rogelio, ha posado en tres fotografías, una con toda la familia, una con todos los varones, una con Agustín solo, las tres contra la pared blanca del rancho, ha dormido la siesta bajo los árboles después de defecar, ha discutido con Rosa que insistía en mandarlo a buscarla a su casa, ha sacrificado el cordero después de ver jugar un momento a Rogelio con sus hijos, ha dejado atrás el patio regado, atravesando el montecito en dirección al río, hasta el lugar de los cuatro sauces, se ha desnudado parándose después en el borde de la barranca, se ha balanceado un momento sobre la punta de los pies, ha tomado impulso hacia adelante, hacia arriba, juntando las manos por las yemas de los dedos, hacia abajo estirando los brazos, y ahora su cuerpo recto, la cabeza protegida entre los brazos estirados, va acercándose, oblicuo, al agua violácea hasta que la toca con la punta de los dedos.

La explosión de la zambullida suena y retumba diseminándose en el aire tranquilo. El cuerpo de Wenceslao entra en el agua que se cierra por detrás, dejándolo adentro, como una crisálida en un capullo elástico, pesado y móvil. En el fondo, Wenceslao se desplaza abriendo los ojos y viendo una penumbra amarillenta y translúcida enturbiada por el barro delgado y flotante que la zambullida ha levantado desde el lecho del río. Cierra los ojos otra vez. Su cuerpo hace un giro brusco, frenado en su violencia por la presión del agua, y a sus oídos llega el tumulto vago del líquido que sus miembros sacuden. Comienza a avanzar con suavidad separando el agua con las manos, sin ruido, otra vez con los ojos abiertos en el interior de la penumbra translúcida. De golpe comienza a subir y el rumor atenuado del fondo se convierte en el ruido múltiple y súbito del choque con la superficie cuando su cabeza emerge del agua. Ha salido mirando hacia el centro del río y no hacia la orilla desde la que se zambulló. La superficie violácea se vuelve otra vez esa masa amarillenta y translúcida cuando hunde de nuevo la cabeza en el agua y abre los ojos, comenzando a girar y a desplazarse. Mantiene el movimiento de traslación y rotación durante un momento y cuando asoma por segunda vez a la superficie vuelve a estar dando la cara al centro del río y no hacia la orilla desde la que se ha zambullido. Después nada en la superficie en dirección al centro del río. Avanza con brazadas armoniosas, la cara hundida en el agua asomando de tanto en tanto para recuperar la respiración, el pataleo mudo bajo el agua estallando a intervalos en la superficie y produciendo un penacho turbulento de espuma blanca que se deshace en seguida y que impide ver los pies cuando se mueven a ras del agua. Vuelve a detenerse y poniéndose boca arriba cierra los ojos y se deja flotar. La piel mojada resplandece sin embargo como más cálida sobre la gran extensión violácea. En sus oídos resuenan todavía, mezclados, el tumulto del agua en la superficie y el rumor subacuático que parece continuo en relación a los golpes súbitos y fugaces de la superficie. Cuando llega al centro del río pone el cuerpo en posición vertical —si bien la parte inferior, bajo el agua, queda como floja y acumulada contra el revés de la superficie— y mira a su alrededor. La mirada, a ras de agua, choca contra la orilla desde la que se ha zambullido y trepa por la barranca hasta la punta, sigue subiendo hasta las copas de los árboles sobre las que resbala la luz solar. Después baja otra vez a ras del agua y se desliza por la superficie calma, violada, hasta un punto en el horizonte en el que el agua parece estar más alta que los ojos y sin embargo inmóvil y lisa. Wenceslao nada otra vez en dirección a la orilla y sale del agua. Su cuerpo magro, desnudo, es más blanco desde el ombligo hasta la mitad superior de los muslos. El resto es oscuro, tostado, y chorrea agua. El pelo veteado de gris está pegado al cráneo y los pies húmedos, que se adhieren al suelo arenoso, van dejando unas huellas rápidas y nítidas. Vuelve a pararse en la punta de la barranca y se vuelve a zambullir. La misma explosión del principio sacude la superficie violácea y al abrir los ojos, en el fondo, Wenceslao percibe otra vez la penumbra amarillenta y translúcida en la que las partículas de barro flotan lentas a mitad de camino entre el fondo y la superficie. Al cerrar los ojos la oscuridad lo ciñe en un tumulto confuso y por un momento no percibe la dirección en la que se desplaza ni tampoco el hecho mismo de estar en el agua. Siempre con los ojos cerrados vuelve a subir y cuando asoma la cabeza abre los ojos y ve la orilla y los árboles. Ahora la luz solar es de nuevo horizontal y sus rayos atraviesan los huecos de la fronda formando entre los árboles volúmenes amarillos suspendidos en el aire o como depositados sobre las ramas. El sonido de voces lo hace volverse despacio, braceando, y entonces ve aparecer las dos canoas cargadas de mujeres, viniendo desde un riacho. Viene adelante la canoa amarilla; detrás viene la verde. Vistas desde el ras del agua las embarcaciones parecen más grandes de lo que son, y avanzan atravesando el río en diagonal. Rosa reina en la amarilla, de espaldas a la dirección que trae. A cinco metros de distancia, la canoa verde, en la que rema la Negra, sigue a la amarilla en línea tan recta que da la impresión de que la amarilla viniese remolcándola. Avanzan atravesando el río en diagonal; las voces de las mujeres suenan y se disipan en el aire al que mancha el resplandor del agua. En la amarilla, la Teresita va en la proa, la cara en el mismo sentido en que avanza la canoa. Teresa está sentada frente a Rosa y la oye hablar, inmóvil. En la canoa verde es Rosita la que viene en la proa, mirando en la misma dirección que la Teresita; Josefa, sentada cerca de la popa, le da la espalda a la Negra, cuyo torso amarillo que remata en la cabeza amarilla se bambolea al ritmo de los remos. Teresa es la primera que ve a Wenceslao, y lo señala con la mano. Rosa maniobra con los remos, quebrando la línea diagonal y viniendo en línea recta hacia Wenceslao. La Negra se entrevera un momento con los remos, haciendo oscilar como un péndulo lento la proa verde antes de lograr enfilar en la misma dirección que la canoa amarilla. Wenceslao comienza a nadar hacia las embarcaciones. Se alcanzan rápido. Wenceslao deja de nadar y braceando y pataleando de un modo continuo para mantenerse a flote, ve cómo Rosa hace una maniobra diestra con los remos y para de golpe la canoa. La imagen invertida de la canoa amarilla con las tres mujeres se refleja en el agua, oscura, confusa, quebradiza.

—Yo te había dicho que iban al pedo —dice Wenceslao.

Por la cara de Rosa corren gotas de sudor. Deja uno de los remos y se pasa el dorso de la mano por encima del labio superior.

—Está loca —dice.

—¿Qué hacía? —dice Wenceslao.

—Ni mierda —dice Rosa.

Wenceslao se ríe. La canoa verde se para al costado de la amarilla.

—Andá nomás, Negra, que ya te sigo —dice Rosa.

La Negra sigue remando y se aleja. La estela que deja la canoa va ensanchándose y Wenceslao siente las sacudidas suaves de la corriente, cada vez más débiles. Rosa lo está mirando.

—Tenía que haber ido y enterrarse con él —dice.

—Ella no. Yo —dice Wenceslao.

Hace un movimiento brusco y se sumerge. Ahora ve otra vez la penumbra amarillenta toda historiada de una red de nervaduras luminosas que se entreveran en la masa translúcida. Ha alcanzado a oír algo que decía la voz de Rosa superponiéndose al ruido del agua en la fracción de segundo que duró la inmersión. Va desplazándose bajo el agua hacia donde piensa que está la orilla, alejándose de la canoa, viendo por encima del ronroneo subacuático el paraíso y la mesa, la otra mesa, el arcón, viéndola venir desde el rancho al excusado y oyendo después el chasquido del cabello cada vez que los dientes negros del peine se enredan en él, viéndola sentada adelante, bajo el paraíso, hilvanando franjas negras en el bolsillo de la camisa. Después no ve más nada. Avanza en la masa amarillenta que va separando con las manos extendidas y que se cierra en seguida por detrás, y otra vez sale a la superficie frente a la barranca. Jadea un poco. Ahora ve las dos canoas que van acercándose a la orilla, paralela una a la otra, la verde un poco más adelante, como si estuviesen yendo entre andariveles y compitiendo por tocar primero la costa. Wenceslao las ve vararse una junto a la otra, la verde primero y la amarilla unos segundos después. Las mujeres se incorporan y saltan a tierra, caminando precarias sobre la embarcación y elevándose un momento sobre la proa antes de tocar el suelo. Hacen gestos en medio del aire todavía claro y luminoso. Desaparecen. Espera un momento para estar seguro de que no volverán y después da dos brazadas suaves y toca la barranca. Va costeándola hasta donde el declive le permite trepar y sale del agua. Cuando llega al lugar en el que ha dejado la ropa jadea y se deja caer sobre el pasto. Saca los cigarrillos y los fósforos del bolsillo de su camisa y fuma despacio, plácido, mientras su cuerpo va secándose en el aire cálido y sin viento. Sacude con suavidad la cabeza, de vez en cuando, mirando el humo que se disemina lento antes de disiparse. En frente tiene el río violáceo y las orillas bajas que todavía cabrillean. Ve por un momento el sol de mediodía subiendo, el enorme círculo del cielo mechado de destellos amarillos, y después la luz de la luna cayendo entre los árboles y haciendo fosforescer la fachada blanca del rancho. Le da una última chupada al cigarrillo y después lo arroja en dirección al río, siguiéndolo con la mirada hasta que toca el agua. Se para. Se viste despacio, sacudiéndose primero las nalgas enjutas, acomodándose con cuidado los genitales antes de enfundarse el calzoncillo blanco que le cubre la mitad de los muslos y que se sostiene gracias a la convexidad leve del abdomen, se pone la camisa y el pantalón y se limpia los pies con la mano antes de calzarse. Comienza a atravesar el montecito en dirección a la casa. El chasquido de las alpargatas golpeando contra los yuyos repercute con un ritmo parejo y monótono que él no percibe. Ahora la luz solar es interceptada por las ramas de los árboles y en el interior del montecito no penetra más que la claridad difusa y sin destellos que se cuela por entre las hojas y se dispersa entre los árboles. Su cuerpo avanza ahora como

179

nimbado por esa claridad, recortándose nítido en ella, el contorno guarnecido por una doble aureola luminosa. Avanza entre los algarrobos, los ceibos, los timbós, los aromitos, los laureles, los árboles que nadie plantó nunca, alzando de vez en cuando el brazo para separar una rama demasiado baja, hasta que llega a la hilera de paraísos que separa el monte del patio trasero, en el que los círculos negros de la regada han ido secándose y volviéndose más claros. Se para un momento frente al cordero y lo mira. Llega un rumor de voces desde el patio delantero. Colgado cabeza abajo, el lugar en el que estaba la cabeza convertido en un muñón reseco, el animal está abierto a todo lo largo y muestra la caverna rojiza listada por las costillas. Wenceslao lo mira, lo ve un momento atado al tronco del árbol, corriendo en semicírculo y balando sin parar, ve el cuchillo penetrando en su garganta y abriendo un hueco elástico que se cierra a medida que la hoja penetra en la carne, la sangre que comienza a brotar y cae en la palangana. Después gira y pasa junto al horno y a la parrilla, y se aproxima al patio delantero oyendo las voces cada vez más altas y distinguiendo gradualmente a los que las profieren: Rosa, Rogelio, la Negra, Teresa, la vieja. Cuando aparece en el patio los ve: Rosa y Rogelio parados entre la punta de la mesa y la pared blanca del rancho, frente a frente y discutiendo, la Negra que peina a la vieja sentada a la derecha del viejo que está en la otra punta y que chupa un mate sacudiendo la cabeza, Teresa un poco separada del grupo, hacia el lado del camino, y mirando la escena con los ojos muy abiertos.

—Ahí lo tenés. Decíselo a él —dice Rogelio, señalando a Wenceslao cuando lo ve aparecer en el patio delantero.

Rosa se da vuelta. La Negra sacude el peine hacia Wenceslao.

—Están peliando por la tía —dice.

—Es cabeza dura esa mujer —dice el viejo.

—A ver si mandan a los muchachos a juntar leña para el fuego —dice Wenceslao.

—Él es todavía más loco que ella —dice Rosa.

—Rosita vieja y peluda —dice Wenceslao.

Rogelio se echa a reír. La Negra mira un momento a Wenceslao, se encoge de hombros, y sigue peinando a la vieja. Los cabellos de la vieja, todavía oscuros, caen lisos y largos hasta más abajo de los hombros. La vieja recoge un cigarro encendido de sobre el borde de la mesa y se lo lleva a los labios. Le da una larga chupada y suelta un chorro de humo, y vuelve a dejar el cigarro sobre el borde de la mesa. El viejo comienza a llenar otra vez el mate.

—Manden por leña a esos muchachos —dice Wenceslao.

Rogelio comienza bruscamente a gritar, llamando a los muchachos. También bruscamente aparecen los niños desde el interior del rancho: el Carozo, el Ladeado y la Teresita. Del costado del rancho vienen el Chacho y el Segundo, Rogelito, Amelia, Rosita y Josefa. Todos se aproximan.

—Todos pdesentes —dice el Segundo.

—Falta Agustín —dice Rogelio.

—Y la tía —dice Josefa.

—El viejo debe estad chupando en lo Bedini —dice el Segundo.

—Hay que llevar leña a la parrilla para que Layo ase el cordero —dice Rogelio—. De frente, ¡march!

El Segundo y los chicos comienzan a moverse. Rogelio y el Chacho se quedan parados al lado de las dos mujeres en cuya compañía han aparecido. Antes de desaparecer hacia el fondo, siguiendo con dificultad el paso cada vez más acelerado de los otros, el Ladeado se para y da media vuelta, acercándose a Rogelio. Le hace un gesto con la mano, indicándole que se incline. Rogelio mira de un modo fugaz a Wenceslao y obedece. El Ladeado murmura algo en su oído. Mientras lo escucha, Rogelio sacude la cabeza, afirmando.

—Sí, sí. Seguro que sí. Ahora vaya buscar leña con sus primos —dice.

El Ladeado se aleja y desaparece. La Negra ha dejado de peinar a la vieja para tomar el mate que el viejo le acaba de alcanzar. Introduce la bombilla entre sus labios gruesos y oscuros, sorbe arrugando la frente como si estuviese preocupada por algo, saca la bombilla de entre los labios mientras traga y repite tres o cuatro veces la misma operación hasta que vacía el mate. Se han quedado todos en silencio, esperando, en el interior de la esfera de sombra de los paraísos, que continúa siendo siempre un poco más oscura que el resto del aire a su alrededor. Ha ido oscureciéndose con la declinación del día y sin embargo, siendo más oscura que todo el resto, y más oscura incluso que a mediodía, ahora que la luz deslumbrante se ha suavizado dejando de contrastar crudamente con ella, da la impresión de haberse diluido un poco. El amarillo de la luz que raya el cielo es también ahora un poco más pálido. Después la luz se irá poniendo naranja, rojiza, verde, azulada, azul. Cuando desaparezca el sol no quedará más que una luz azul homogénea y todavía bastante clara antes de convertirse en una semipenumbra otra vez azulada llena de núcleos negros alrededor de los árboles. Después se pondrá todo negro, durante un momento, como si también la negrura alcanzara un cenit antes de declinar en favor de la luna llena subiendo en un cielo lila. No percibirá enteramente la oscuridad porque estará parado junto al fuego grande y a la capa dispersa de brasas sobre las que se dora el cordero despidiendo una columna de humo que atraviesa la fronda de los árboles y sube hacia la luna. Habrá acabado de llegar del almacén de Berini. Habrán ido caminando después de hacer el fuego y poner las achuras y el cordero sobre las brasas y dejarlo al cuidado de los muchachos. Recorriendo primero el camino de arena, doblando hacia la derecha después y atravesando el monte de espinillos, cruzando más tarde el gran claro en diagonal, en fila india, por el caminito, Rogelio adelante, detrás él, alcanzando el camino recto que lleva del almacén a la costa y avanzando por él ahora los dos a la par hasta divisar los árboles del almacén y oír cada vez más próxima y nítida la música que llega desde el patio. Habrán entrado al almacén, viendo a Buenaventura sentado bajo los árboles ante una mesa en la que hay varias botellas de vino y vasos, rodeado de hombres —Salas el músico, el otro Salas, Chin, otros—. Desde la cancha de bochas llegarán gritos y voces y de vez en cuando el golpe seco de los bochazos y el más resonante de las bochas contra los tablones que cierran la cancha. Encontrarán a Agustín en la cancha viendo a los otros jugar, tomando un vaso de vino, ya bastante borracho, yendo a buscar de vez en cuando las bochas desviadas para traerlas a la cancha o haciendo de intermediario entre Berini y los jugadores cada vez que éstos piden bebidas, o cigarrillos, o algo para comer. Ellos mismos, Rogelio y Wenceslao, se quedarán mirando un momento el partido de bochas, aproximándose a la cancha de vez en cuando para observar más de cerca la distancia de una arrimada, opinando entre ellos sobre los tantos en discusión, sobre problemas reglamentarios, sobre la destreza de un bochazo. Después entrarán al almacén en el que el olor a creolina del mediodía se habrá desvanecido ya casi del todo, pagarán sus copas y las de Agustín recibiendo el vuelto sin mirar la cara hosca de Berini que estará yendo y viniendo detrás del mostrador para atender los pedidos de los niños, hombres y mujeres que entran y salen del almacén atravesando el patio en el que la música del ciego no se detiene más que durante cortos intervalos. Después saldrán los tres al aire azul. Desearán feliz año nuevo a los hombres que rodean al ciego, Chin se pondrá de pie y abrazará a Rogelio. Después abrazará a Wenceslao y Wenceslao percibirá, al aproximar su cara a la de Chin, unas gotas de sudor que corren por sus mejillas recién rasuradas. Salas el músico les prometerá una serenata. Después saldrán. Habrán recorrido el camino, el campo en diagonal, el montecito, el otro camino, antes de que Wenceslao esté parado junto a las brasas sobre las que el cordero se dora despidiendo una columna de humo oloroso que sube al cielo negro atravesando la fronda de los árboles. Habrán venido envueltos primero en la luz azul, en la semipenumbra azul más oscura, en la oscuridad. Los perros habrán salido a recibirlos, saltándoles a la cara. Atravesando el claro habrán visto encenderse los primeros faroles entre los árboles que ocultan los ranchos, en los patios regados al atardecer, los faroles manchando las ramas y las hojas con una luz centrífuga, que fluye y está, sin embargo, inmóvil. Ya en el patio del almacén habrán percibido la subida de la mosquitada. Recorrerán el camino desde el almacén hasta la casa de Rogelio abriéndose paso a través de una sola nube negra, compacta y zumbante. Irán dándose cachetazos en la cara, en la nuca, en los brazos. En un momento dado el hostigamiento de los mosquitos será tan constante y violento que se echarán a correr, riéndose y puteando, hasta que se pararán de golpe y seguirán caminando los tres casi a la par, Agustín siempre más lento y más reconcentrado que ellos. Habrá en el aire un ruido vago y febril de voces, de música, de perros, de fuego, de agua, de mosquitos. Al entrar en el patio delantero percibirán un ir y venir de mujeres, de muchachos, de chicos, contrastando siempre con la inmovilidad de los viejos sentados como a la tarde, el viejo en la cabecera, la vieja a su derecha. La vieja estará peinada, limpia, tranquila. El viejo fumará con lentitud, llevando de vez en cuando el cigarrillo a sus labios, dándole una chupada profunda y despidiendo después el humo en chorros espaciados, débiles. Sonará la radio. En el momento mismo de entrar oirán, desde el camino, el galope apagado de un caballo y la voz del diariero voceando *La Región*. Rogelio irá a buscar el diario y conversará un momento con el diariero. Wenceslao lo oirá invitarlo a bajar del caballo para tomar un vaso de vino. El diariero bajará un momento, saludará a los viejos —un viejo él mismo, magro, silencioso, plácido—, esperará sin hablar que Rogelio, que se le ha adelantado, salga del interior del rancho con una botella de vino y cinco vasos, recibirá el suyo tomándolo en dos tragos, mientras Rogelio, el viejo, Agustín y Wenceslao toman tragos cortos de los suyos. Después se despedirá y se irá. Se oirán sus pasos casi imperceptibles sobre el suelo duro, y después de un momento de silencio comenzará a oírse el trote del caballo cada vez más lejano, hasta que se apagará del todo.

La Negra estira la mano hacia el viejo, devolviéndole el mate. En el momento en que el viejo lo agarra, la vieja levanta de sobre el borde de la mesa el cigarro, dándole una chupada larga y volviéndolo a dejar. Cuando vuelve a erguirse después de la inclinación lenta que ha debido hacer para dejar el cigarro sobre el borde de la mesa, las manos de la Negra continúan trabajando con el peine su cabello lacio y oscuro, sin una sola cana. Rogelio mira a su hijo mayor y al Chacho, parados junto a las dos mujeres, y les hace una seña con la cabeza, indicando el patio trasero.

—Cuantos más sean para juntar leña, mejor —dice.

—Por eso —dice Rogelito—. Vayan buscando nomás.

Las dos mujeres y el Chacho se echan a reír. Rogelio se ríe. Wenceslao mira las manos de la Negra que trabajan en el cabello de la vieja. El viejo termina de cebar el mate y lo estira hacia Wenceslao. Wenceslao sacude la cabeza.

—No —dice.

Va hacia la parrilla, seguido por Rogelio. Los chicos van llegando con pedazos de leña que dejan caer apresurados y sin orden cerca de la parrilla, y después vuelven a desaparecer en dirección al fondo. Wenceslao comienza a recoger unas ramitas que quiebra y va depositando a un costado de la parrilla acomodándolas con cuidado para que formen una pila ordenada.

—Hace falta un poco de papel —dice.

—Yo traigo —dice Rogelio.

Acuclillado junto a la pila de ramas secas, Wenceslao oye el ruido de los pasos de Rogelio alejarse en dirección al patio delantero. Desde el patio trasero, el Carozo viene arrastrando una rama seca, enorme, que deja una huella superficial en el suelo duro. El Ladeado lo sigue con dificultad, sosteniendo entre los brazos dos troncos finos. En seguida llegan el Segundo y la Teresita, cada uno con una carga de leña.

—¿Tdaemos más, tío? —dice el Segundo.

Wenceslao mira la leña acumulada en desorden.

—Mucho más todavía —dice Wenceslao—. Y a ver si la acomodan un poco mejor, carajo.

Rogelio reaparece trayendo hojas de diario. Wenceslao agarra una de las hojas que le alcanza Rogelio y la hace una pelota achatada, dejándola en el suelo. Después, sobre ella, con gran cuidado, va superponiendo ramitas que componen una pila precaria. Sobre ella comienza a acomodar ramas más gruesas, y después más gruesas todavía, hasta formar un montículo piramidal. Se incorpora viendo el ir y venir de los muchachos que aportan leña y van dejándola caer a los costados de la pila. Cuando está por fin parado, la mano de Rogelio se mete en el bolsillo de su camisa y saca los cigarrillos y los fósforos.

—El último —dice Rogelio.

Se pone el cigarrillo entre los labios, hace una pelotita con el paquete vacío y lo tira entre la leña de la pila. Después enciende el cigarrillo y se inclina con el fósforo encendido aplicando la llama a una de las puntas de papel de diario que asoman de entre la leña. La hoja de diario comienza a arder. Rogelio se incorpora y extiende la caja de fósforos a Wenceslao, que enciende a su vez uno y aplica a su vez la llama a otra de las puntas del papel. La llama avanza por los dos extremos hacia el centro de la pila de leña. El Carozo llega con un tronco que deja caer en el suelo y se queda junto a su padre, mirando las llamitas. Wenceslao contempla la leña que se amontona en desorden a un costado del fuego y determina:

—Ya es suficiente.

Todavía llegan el Segundo, el Ladeado y la Teresita con pedazos de leña y Wenceslao va repitiéndoles lo mismo, de modo que se quedan y se ponen a mirar el fuego. Forman un círculo en torno a las llamas, que por un momento desaparecen entre la leña creando una ligera expectación. Por el vértice de la pirámide de leña comienza a subir una columnita de humo blancuzco, magro.

—Se apaga, tío —dice el Carozo.

—Hay que darle tiempo —dice Wenceslao—. Ya va arder.

Pero por un momento no sube de entre las hojas más que ese chorro débil de humo casi blanco que se disipa en seguida, sin fuerza. De pronto, ni el humo sube. Hay como una especie de silencio que sube desde la leña y que hace que los chicos miren interrogativamente a Wenceslao y a Rogelio, como si ellos tuviesen el secreto del fuego y los medios de provocarlo. Pero después del silencio se oye una crepitación sorda, espaciada, que viene de la estructura intrincada de ramas y troncos, y de golpe, por entre los intersticios, aparece la primera llama, débil, azulada, transparente.

—Ya pdendió —dice el Segundo.

Wenceslao alza los ojos del fuego y mira un momento al Segundo, pensativo, sin parpadear, con grave curiosidad. Todos están mirando fijo la llama, que ahora se divide, se cuela, multiplicada, por los intersticios de la pila y se curva atacando la leña desde afuera; son cinco o seis láminas flexibles, ágiles, envolventes, que parecen tocar superficialmente la madera y después retirarse. Algo en el interior de la estructura de llamas crepita, se quiebra y chisporrotea. Por un momento, después, no hay más que esas llamas infructuosas que continúan su bailoteo monótono, interrumpido de vez en cuando por una crepitación y una explosión apagada. Las llamas se reducen y el humo vuelve a fluir en una columna más firme, derecha y espesa. Los seis pares de ojos se dirigen al punto —el vértice de la pirámide— desde el que parte la columna de humo. De golpe se oye una crepitación más profunda y surge un montón de llamas altas y rectas que se sacuden violentas. La Teresita da un paso atrás. El Segundo mira a Rogelio y a Wenceslao con expresión satisfecha. A cada nuevo envión de las llamas, parece como si el fuego debiese pasar por un estadio neutro en el que su fuerza queda en suspenso, anulada, antes de crecer, discontinua, borrándose del todo para reaparecer después con más violencia. Los seis pares de ojos se han agrandado y siguen fijos en las llamas. Wenceslao habla dirigiéndose a Rogelio, sin alzar la vista.

—Dentro de un ratito podemos ponerlo —dice.

—Sí —dice Rogelio sin alzar la cabeza.

Da una última chupada al cigarrillo y lo arroja hacia las llamas. El cigarrillo desaparece entre los troncos apilados.

—Desapadeció —dice el Segundo.

Las llamas suben más y más y se multiplican. Producen un sonido seco, más continuo que ellas mismas pero menos nítido. Sobre las caras lustrosas a causa del calor, las llamas se reflejan imperceptibles y el resplandor del fuego es comido por la claridad del atardecer. Como no sopla ningún viento el humo sube despacio hasta cierta altura, para desplazarse después horizontal en el aire, por encima de las seis cabezas inclinadas hacia el fuego. Hasta el punto en que se quiebra y comienza a diseminarse, los bordes de la columna son ondulantes y su superficie es crespa, como la lana de un cordero; después se alisa y se adelgaza sin volverse sin embargo más transparente, aunque se desplaza con más lentitud que la masa ondulante. Después se mezcla en la altura con las hojas de los árboles. La columna ondulante se mueve de un modo tan regular y continuo, del mismo modo que las llamas, que crecen por enviones imperceptibles y que surgen en círculo desde el centro de la hoguera formando una especie de corona, que el conjunto de humo y hoguera, e incluso hombres, da la ilusión de una cierta inmovilidad. Sin mediar palabra, el Carozo da un salto rápido en su lugar y después sale como disparado en dirección a la parte delantera de la casa. La Teresita y el Ladeado lo siguen, poniéndose en movimiento de un modo tan brusco como él, como si se hubiesen arrancado a la fascinación de la hoguera mediante un tirón violento y escapasen por temor de recaer en ella. Wenceslao los mira doblar la esquina del rancho y desaparecer. Los "ve", por un momento, desembocar en el patio delantero uno detrás del otro reunirse fugazmente y volver a dispersarse, persiguiéndose entre las sillas y la mesa, entre los árboles, alrededor del viejo sentado en la cabecera y de la vieja que fuma parsimoniosa su cigarro mientras la Negra pasa una y otra vez el peine haciéndolo chasquear, sobre su cabellera lisa. Pero la voz de la Negra suena de golpe a sus espaldas, viniendo desde la parte trasera del rancho, haciéndolo darse vuelta y produciendo en Rogelio y en el Segundo rápidos movimientos de cabeza en dirección a ella.

—¿Ya prendieron el fuego? —dice, acercándose.

—No, ¿y esto qué es? —dice el Segundo.

Detrás de la Negra aparecen Amelia y Rosita. Caminan más despacio que la Negra, y parecen haber estado hablando de algo íntimo. La blusa azul eléctrico de Amelia es de una seda lisa, brillante, y la pollera colorada de una especie de tela cruda tiene toda una serie de arrugas horizontales desde la mitad superior de los muslos hasta el vientre. Sobre el labio superior de Rosita hay cuatro o cinco gotas de sudor.

—Qué rápido —dice la Negra, parándose al lado del Segundo y mirando las llamas. Suspira y sus ojos se abren enormes en la contemplación del fuego.

—Gdacias a mí que tdaje la mejod leña —dice el Segundo.

Wenceslao lo mira.

—Ahora cuando vayamos al almacén —dice— vamos a dejarte a cargo de la parrilla. Ojo que nadie se acerque.

—Ojo con andar metiendo la mano también —dice Rogelio.

Amelia y Rosita se instalan en el círculo y abren a su vez los ojos y se quedan contemplando con fijeza las llamas, de cuyas puntas se desprende a veces un puñado de chispas. El vestido descolorido de Rosita, estampado en florcitas azules, se ha ido adelgazando con las lavadas y ahora transparenta un poco entre sus piernas separadas. Por la parte delantera aparecen Teresa y la Teresita. Traen una toalla y un jabón y se paran al lado de la bomba. Ni siquiera miran al grupo colocado en círculo alrededor del fuego; únicamente

Wenceslao ha alzado la cabeza para mirarlas: Teresa comienza a bombear y la Teresita se inclina bajo el chorro de agua y empieza a lavarse la cara, el cuello y los brazos. El Ladeado aparece también desde la parte delantera, arrastrando una silla que deja junto a la bomba. Se da vuelta y se va, desapareciendo otra vez en la parte delantera.

—Sí, ojo —dice Wenceslao.

La Negra se ríe.

—No le diga nada, tío, que no vale la pena —dice.

—No va dejar ni los huesos —dice Rogelio.

—Tdaigan un salamín de lo Bedini, pod si acaso —dice el Segundo.

Deja de mirar el fuego y sacude la cabeza.

—Debe ser más duro que un burro —dice la Negra.

—Cadneenlá a la Negda, que es puda gdasa —dice el Segundo.

La Teresita se enjuaga y comienza a secarse. Teresa espera parada al lado, apoyando una mano en la palanca de la bomba. Con minucia, la Teresita refriega con la toalla su cuello, sus brazos, su cara seria y retraída. La Negra tiene un paquete de cigarrillos "Chesterfield", todo arrugado, en el cinturón. Lo saca y ofrece. Wenceslao acepta. Rogelio, en cambio, rechaza el paquete sacudiendo la mano.

—Recién tiré —dice.

Wenceslao observa un momento el cigarrillo, haciéndolo girar entre los dedos, y después lo acerca a su nariz y lo huele. La cara plácida y puntiaguda de Amelia se vuelve hacia él cuando percibe que Wenceslao le ha echado una mirada fugaz en el momento de oler el cigarrillo. Ahora la Teresita deja la toalla en el respaldo de la silla y se sienta, poniendo los pies bajo el chorro de agua que sale por la canilla cuando Teresa comienza a bombear. Wenceslao pone el cigarrillo entre sus labios y palpa el bolsillo de su camisa buscando la caja de fósforos. La saca, enciende uno, y aproxima la llama al cigarrillo que cuelga de los labios de la Negra. Al inclinarse levemente para tocar la llama con el cigarrillo, la Negra hace tintinear sus joyas de fantasía. Aunque no hay viento, protege la llama con sus manos dejando ver las uñas pintadas de lila. Al erguirse, un nuevo tintineo de chafalonías acompaña su movimiento. Después Wenceslao enciende su propio cigarrillo y tira el fósforo entre las llamas. Da una larga chupada y expele el humo despacio. Los dos chorros de humo, el de Wenceslao y el de la Negra, van rectos y horizontales a mezclarse con la columna ondulante que fluye de la fogata. Al entrar en ella, el humo de los cigarrillos agranda su espesor. Un montón de pájaros viene de golpe y se entrevera en la fronda de los árboles, gorjeando y persiguiéndose de rama en rama. Wenceslao alza la cabeza y los ve reunirse otra vez y salir bruscamente en bandada. La mano de uñas lila sostiene el cigarrillo a la altura de las grandes tetas que abultan la blusa amarilla. La pollera multicolor se llena de pliegues cuando la Negra hace un movimiento para cambiar el pie de apoyo. Ahora hay un tumulto entre las llamas que disminuyen un poco y después vuelven a crecer con un envión súbito, hacia un costado primero, como si un viento imperceptible las hubiese inclinado, y después hacia arriba. El bombeo lento de Teresa se detiene, pero el chorro de agua sigue saliendo y cuando la Teresita retira sus piernas y comienza a secárselas apoyando una de ellas en el travesaño de la silla y cruzando la otra sobre el muslo de la primera, Teresa se inclina hacia el chorro y ahuecando las manos recoge un poco de agua y se la toma. Ya no hay sol en ese costado de la casa, aunque sí una claridad intensa como para que el resplandor de las llamas se disipe en ella. Del patio delantero llegan las risas de los chicos y después la voz de Rosa, gritándoles.

—Si le gustan, tío, le dejo un paquete —dice la Negra.

Wenceslao mira el cigarrillo un momento y después da otra pitada larga.

—Carajo, sí —dice.

—De haber sabido —dice la Negra— traía una caja.

—Son suavecitos suavecitos —dice Wenceslao.

La Negra ha conservado el paquete arrugado en la mano y lo estira otra vez hacia Rogelio.

—Tome, tío, sírvase —dice.

—Para probarlos, nomás —dice Rogelio, retirando uno del paquete.

Aunque la Negra no lo ha convidado, el Segundo mete la mano y saca también un cigarrillo. Lo mira un momento y después lo huele.

—El patdón del quiadedo tamién fuma de éstos —dice—. Son impodtados.

Rogelio se inclina hacia las llamas y aplica a una de ellas la punta del cigarrillo. Después lo retira y lo chupa dos o tres veces hasta hacerlo arder bien. El Segundo agarra el cigarrillo con los dedos, por la punta, lo sacude en el aire mostrándolo a la concurrencia en general y guardándolo en el bolsillo de la camisa comenta:

—Pada la odeja.

—Sí —dice Rogelio—. Son bien suavecitos.

—Yo los consigo baratos —dice la Negra—. Pero hay que tener cuidado, porque a veces los fabrican en Avellaneda.

Antes de cada chupada, Rogelio mira con atención su propio cigarrillo.

—Yo esos sin filtro no los puedo fumar —dice Amelia.

Wenceslao mira su cara filosa y neutra. Amelia enrojece, alza la mano y se toca el cabello.

—Yo es al revés —dice la Negra—. Con filtro no les siento ningún gusto. Es como si no fumara nada.

Rosa aparece en la esquina del rancho, desde la parte delantera, y se queda parada.

—¿Qué pasa ahí que hay tanta gente? —dice.

Todas las cabezas se vuelven hacia ella. Se queda inmóvil. Más acá está la bomba, a cuya izquierda, junto a la palanca, Teresa está pasándose el dorso de la mano por la boca, para secársela, y la Teresita se refriega la segunda pierna con la toalla blanca que se sacude sin cesar. De todas las cabezas, la de la Teresita es la única que no ha girado en dirección a Rosa y continúa inclinada hacia las manos que refriegan la toalla blanca contra la pierna. El cuerpo de Rosa enfundado en un vestido verde que acaba de ponerse para la noche resalta junto a la pared blanca del rancho y contra el fondo sombrío de las ramas de los paraísos del patio delantero.

—No faltabas más que vos —dice Wenceslao.

—Yo con usted no me junto —dice Rosa—. Negra vení una cosa.

—Sí, tía, voy —dice la Negra.

—Vos también vení, Rosita, que tenés que cambiarte —dice Rosa—. Venga usted también, señorita, no se quede con esos dos viejos que de este lado está la gente joven.

Todos se echan a reír, salvo la Teresita. Wenceslao sacude la cabeza y después ve cómo Rosa vuelve a desaparecer —el vestido verde, que se ha esfumado, ha de estar en ese momento costeando la pared blanca en dirección a la puerta del rancho— y cómo las tres mujeres se alejan en fila india hacia adelante, Amelia primero, después Rosita, por último la Negra; atraviesan el punto en el que ha estado parada Rosa con su vestido verde, después de pasar junto a Teresa que las sigue y pasa a su vez por el mismo punto en el que estaba el vestido verde y por el que han pasado las tres mujeres, y junto a la Teresita que en el momento en que Teresa comienza a caminar se pone las zapatillas y se para. Recoge la toalla y la silla y sigue a su madre, que ya ha desaparecido, y pasando por el punto en el que ha estado Rosa con su vestido verde, dobla la esquina del rancho y desaparece a su vez. Las risas han decrecido, resonando un momento por encima de los crujidos tensos del fuego, y después se han apagado. Por un momento, no se oye más que la crepitación de las llamas. Wenceslao y Rogelio fuman en silencio, mirando el fuego. El Segundo suspira y se va en dirección al patio delantero. Pasa al lado de la bomba en la que ha estado Teresa bombeando con lentitud y la Teresita sentada en la silla refregándose las piernas con la toalla blanca, y atravesando el punto en el que ha estado el vestido verde dobla la esquina del rancho y desaparece. Ha de estar caminando en el patio delantero, hacia la mesa en la que el viejo y la vieja están sentados, en silencio, en un lugar en el que la penumbra ya ha de ser más densa. Algo se desmorona en el interior de la fogata produciendo un chisporroteo, un crecimiento fugaz de las llamas que después vuelven a su movimiento parejo y monótono, y una turbación intensa en la columna de humo.

—Apenas pongas el cordero vamos a lo Berini —dice Rogelio.

—Sí —dice Wenceslao.

Da una pitada a su cigarrillo y lo tira entre las llamas. El cigarrillo pega contra un pedazo de leña y cae a un costado de la hoguera. Wenceslao lo pisa dejándolo achatado contra la tierra. Rogelio está parado del otro lado de las llamas, frente a él. Mira el fuego, pensativo. Después sacude la cabeza.

—Venir a decir que todavía está de luto —dice.

Se aleja unos pasos del fuego y se apoya con una mano sobre la semiesfera blanca del horno. El cigarrillo, consumido en sus tres cuartas partes, cuelga de sus labios bajo el bigote negro.

—¿Cómo va estar de luto todavía? —dice.

—Que me pongan a mano la sal —dice Wenceslao.

—Sí, Layo, sí —dice Rogelio—. Van a ponerte la sal a mano, perdé cuidado.

Se incorpora y empieza a caminar en dirección al patio delantero. Pasa al lado de la bomba, atraviesa el punto en el que ha estado el vestido verde, bordeando la pared blanca, y desaparece en la esquina del rancho. Ha de estar bordeando la pared del frente, blanca, en dirección a la puerta. Ha de estar dirigiéndose a la mesa en la que el viejo y la vieja están sentados en silencio. Ha de estar en este momento pasando junto a la puerta del rancho y siguiendo de largo en dirección al otro lado de la casa en el que están el excusado y el gallinero.

Ha de estar atravesando la puerta del rancho. Wenceslao se acuclilla, mirando el fuego, y en el momento en que fija los ojos en él, algo en el interior de la fogata se desmorona con una serie de explosiones apagadas, un chisporroteo, y un tumulto intenso en la columna de humo. El calor ha trabajado la pila de leña por dentro, y la madera está intacta todavía en su parte exterior. Salen llamas por los intersticios, todo alrededor, y curvándose como si quisieran eludir voluntariamente la parte externa de la madera para ir comiéndola exclusivamente desde adentro, se vuelven a reunir en una sola punta móvil por encima de la leña. Las llamas suben como escalonadas, fluyendo de un modo tan continuo y regular, cuando se tranquilizan después de las explosiones, que por momentos dan la ilusión de una perfecta inmovilidad. Wenceslao mira el núcleo del fuego: es una esfera ardua, de un color cambiante, del rojo al amarillo, inestable, en el que el calor, en continuo aumento, parece superponer estratos sobre estratos de una materia imprecisa, que emite un resplandor pesado, muy lento, indefinible. En el centro de la esfera inmóvil y precaria algo está en expansión, desplazándose no sólo a sí mismo, sino también a toda la esfera, algo que está en la esfera, en su centro, pero que no es la esfera misma y que sin embargo la desplaza, ya que puede verse bien cómo avanzan sus bordes comiendo la madera. No se sabe muy bien cómo la pila de leña se sostiene viendo ese vacío rojo atravesado por fragmentos ígneos que se desprenden a veces y lo rayan como meteoros. Al acuclillarse, inclinándose un poco hacia la esfera para mirarla mejor, Wenceslao siente el calor en su cara, un calor seco, brusco. Durante un momento mira sin moverse. Después saca la mano derecha de sobre la rodilla, donde la había apoyado al acuclillarse, y va acercándola despacio, con gran precaución, a la esfera roja. A medida que la mano avanza, sus ojos van entrecerrándose, sin dejar de estar fijos en el fuego. Suena dura la crepitación de las llamas. En la boca de la esfera, la mano se detiene, manchada por el resplandor rojo que se expande hacia el exterior. Cuando, de golpe, toda la estructura precaria se desmorona, en medio de un chisporroteo intenso y una elevación súbita de las llamas, Wenceslao retira rápidamente la mano y se para de un salto.

Amanece

y ya está con los ojos abiertos

Se ha levantado, ha dejado sacudiéndose después de atravesarla la cortina de cretona descolorida que separa el dormitorio de lo que ellos llaman el comedor, ha sido recibido por los perros al salir al patio, ha recordado, mientras orinaba en el excusado, como todas las mañanas, de un modo fugaz, como si el acto de orinar tuviese una correlación refleja con ese recuerdo, la mañana de niebla en que puso por primera vez los pies en la isla, en compañía de su padre, ha bajado el declive del caminito de arena con el Ladeado, ha vacilado un momento decidiéndose por fin a cruzar en la canoa amarilla de Rogelio y no en la verde que se balanceaba despacio bajo los sauces, al lado de la amarilla, ha ido viendo alejarse el rancho y el paraíso redondo y los árboles amontonados atrás, más altos que el techo de paja de dos aguas, ha venido hablando con el Ladeado en la canoa amarilla y comiendo brevas de la canasta acomodada en el piso de la canoa, ha atravesado el montecito en dirección al patio trasero de la casa de Rogelio, viéndolo dejar de dividir el pescado con la cuchilla y darse vuelta en el momento de atravesar con el Ladeado el borde de paraísos, dejar atrás el montecito y desembocar en el patio trasero, ha sentido subir el sol lento y como blanco en un cielo azul todo atravesado de rayas doradas, ha entrado en el patio del almacén viendo a los dos Salas, a Chin con barba de varios días y a dos hombres más tomando cerveza bajo los árboles, saludándolos en el momento en que Agustín salía volando por la puerta del almacén y caía al suelo, seguido por Berini que parecía dispuesto a golpearlo, ha dejado un momento su vaso sobre el mostrador del almacén aplastando una mosca, medio atontada por el flit y la creolina, que había estado dando vueltas en redondo sobre el mostrador, zumbando enloquecida sin poder levantar vuelo,

ha limpiado después el culo del vaso dejando caer la mosca
al suelo, ha vuelto al rancho de Rogelio, en fila india, detrás
de Rogelio y delante de Agustín, oyendo un tintineo de monedas en el bolsillo de Rogelio y de vez en cuando las quejas
monótonas, vagas, incoherentes de Agustín contra Berini, ha
estado comiendo en la cabecera de la mesa y viendo avanzar
por el camino amarillo, por encima de la cabeza blanca del
viejo, las tres manchas —azul, verde, colorada— que resulta-
ron ser las sombrillas de las hijas de Agustín y de su amiga
Amelia que llegaban de visita de la ciudad después de dos
años de ausencia, ha visto a la Negra sacar afuera la punta de
la lengua y mordérsela mientras enfocaba a la familia entera
con su cámara fotográfica, ha estado oyendo antes de dormirse, después de defecar, tirado bajo los árboles con el sombrero de paja tapándole la cara, las risas y los gritos de los muchachos que jugaban a las barajas en el patio trasero, ha
acercado a su nariz el calzón de Amelia que colgaba de una
rama sintiendo un olor húmedo y como salado, se ha nega-
do a acompañar a Rosa a la isla para buscarla y pedirle que
venga a pasar la noche con ellos, sabiendo de antemano que
Rosa ha estado todo el tiempo convencida de que ella no iba
a venir y convencido además de que si Rosa hubiese estado en
la situación de ella habría actuado de la misma manera, se ha
impacientado viendo a Rogelio pelear en broma con su hijo
en el patio trasero, ha clavado el cuchillo en la garganta del
cordero sintiendo cómo la carne, elástica, se abría al paso de
la hoja y después se cerraba otra vez sobre ella, ha esperado
una fracción de segundo con la hoja inmóvil en la garganta
del cordero y en seguida ha hecho un movimiento brusco y
violento hacia el costado, degollando, ha visto salir la sangre
a chorros y acumularse en la palangana, ha cuereado, abierto
desde la garganta hasta el vientre, vaciado y lavado el cordero y limpiado después sus órganos, ha ido hasta la barranca,
desnudándose y zambulléndose dos veces en el agua, sumergiéndose y nadando en el fondo con la sensación imprecisa y
continua de haber hecho lo mismo por lo menos una vez du-

rante ese día, sin saber sin embargo por qué, ha tenido por un momento la esperanza de que Rosa lograría al fin traerla pero desde el agua ha visto las dos canoas que volvían sin ella, ha encendido el fuego, ha puesto sobre él la parrilla y acomodado después sobre ella el cordero entero y las achuras, ha dejado encendida una hoguera adicional junto a la parrilla para ir alimentando las brasas, ha dejado a cargo del Segundo la parrilla y el fuego, han regresado mientras oscurecía después de haber tomado unos vasos de vino y oído el resonar de las bochas en el patio cada vez más oscuro del almacén, después de recibir el abrazo de Chin, recién afeitado, por el camino plagado de mosquitos, han tomado otro vaso de vino en el patio, con el diariero, ha vuelto a hacerse cargo del fuego y del cordero, han comido las achuras repartiendo un pedacito a cada uno que cada uno pasaba a buscar junto a la parrilla, excepción hecha de los viejos a los que se les llevó su parte a la mesa, ha visto el humo subir lento entre las hojas de los árboles, disiparse en la altura, en la oscuridad, y ahora, sobre la mesa del patio trasero, bajo un farol que cuelga de uno de los travesaños que sostienen la parra, asistido por Rogelio y el Segundo, corta en pedazos el cordero, en partes equitativas para los que esperan sentados a la mesa bajo los paraísos en el patio delantero, a la luz de los faroles, y cuando termina de cortar deja las dos fuentes en manos del Segundo y de Rogelio que se las llevarán a las mujeres para que distribuyan las porciones.

Pasan junto a la parrilla, en la que hay todavía una mitad del cordero, junto a la hoguera adicional que no es más que una mancha rojiza y achatada, y doblando la esquina del rancho entran en el patio delantero. Rosa está medio inclinada, mostrándole a Amelia, que fuma un cigarrillo, el ruedo de su vestido verde; Amelia se inclina hacia la parte del vestido que Rosa le señala, observándola. Al ver a Rogelio, Rosa se separa bruscamente de Amelia y recibe la fuente. Amelia sigue fumando, una mano apoyada en la cadera. Se ha recogido el cabello y su cara neutra y filosa se mueve despacio dejando errar los ojos sobre el grupo que rodea la mesa; ve al pasar la cabeza del Chacho, que está sentado dándole la espalda, con el pelo mojado bien pegado al cráneo, y una camisa blanca transparente que deja ver la piel de su espalda y el contorno de su tórax; frente al Chacho están sentadas Josefa y la Teresita que se ha puesto el vestido nuevo, floreado, que Amelia ha visto comprar a la Negra, el día anterior, en la ciudad. Su mirada resbala por la blusa amarilla de la Negra, inclinada hacia el viejo en la otra punta de la mesa. A pesar de que la silla a la izquierda del Chacho está vacía, Amelia se dirige hacia el otro extremo de la mesa y se sienta entre la vieja, que espera inmóvil, y Rosita, que tiene un vestido verde de la misma tela y del mismo modelo que su madre. Al sentarse, Amelia ve a Rosa llegar a la cabecera, viniendo por el otro lado de la mesa, y tocar el hombro de la Negra diciéndole que le haga lugar. Casi todo el mundo habla y se ríe. Las voces de los chicos se elevan por sobre las voces de los mayores. Rosa deja caer el primer pedazo de carne sobre el plato del viejo, da la vuelta por detrás de él, y se inclina para servir un pedazo en el plato de la vieja. Después de servir a la vieja, Rosa deja un tercer pedazo en el plato de Amelia, un cuarto en el de Rosita, mientras ve venir, por el otro lado de la mesa, a Teresa, con la fuente que le ha entregado el Segundo, inclinarse ante cada plato, dejar un pedazo en él, y seguir después en dirección opuesta a la de Rosa. Cuando recibe su porción, Rosita corta un bocado y se lo lleva a la boca, pero al percibir que los demás permanecen inmóviles, esperando que todos estén servidos antes de empezar a comer, vuelve a dejar los cubiertos sobre la mesa de madera, uno a cada lado del plato. Observa con disimulo a Amelia, el cuello ahora más largo a causa del pelo recogido, la blusa azul eléctrico que brilla en los pliegues. Mientras mastica, los músculos de su cara se mueven alrededor de los pómulos y en las mejillas, y después deja de masticar un momento y traga, con algún esfuerzo, como si se hubiese apurado para disimular. Del otro lado de la mesa, en dirección al rancho, entre Josefa y el Carozo, la Teresita le son-

ríe y le hace señas con la mano. Rosita no entiende su significado. La Teresita se pone seria otra vez y deja de mirar a su
prima. Bajo la luz intensa de los tres faroles, las caras brillan
húmedas. La esfera de sombra que ha preservado el lugar del
calor durante todo el día se ha convertido ahora en una gran
esfera iluminada asentada inmóvil en el centro —o en algún
punto— de la oscuridad. La luz mancha las hojas de los árboles y las hace brillar. Teresa va dejando caer en los platos pedazos de carne asada, en sentido inverso al de Rosa, que viene hacia ella, efectuando la misma operación, desde el otro
extremo de la mesa. Deja un pedazo en el plato de Josefa, otro
en el de la Teresita, un tercero en el del Carozo. La silla a la izquierda del Carozo está vacía. Después que Teresa ha dejado
un pedazo de carne frente a la silla vacía, el Segundo la retira
y se sienta en ella. Frente a él hay dos sillas vacías. Detrás de
las sillas está el patio vacío, la luz que va disminuyendo gradualmente y que por fin se disipa en la oscuridad, entre los
espinillos que se agolpan contra el terreno. Sin mirar a su alrededor, el Segundo empieza a comer, cortando grandes bocados que se lleva a la boca y mastica despacio, con la boca
entreabierta. Salvo las dos mujeres que van flanqueando la
mesa, inclinándose ante cada plato para dejar en él un pedazo de cordero el Segundo es el único que se mueve en medio
del grupo inmóvil. Al oír la voz de Rogelio vuelve bruscamente la cabeza y ve aparecer a sus tíos doblando la esquina del
rancho, viniendo desde la parrilla. Ve que enfrente, a su derecha, el Chacho, sobre cuyo plato en ese momento Rosa está
inclinándose para dejar un pedazo de cordero, alza la cabeza
y mira en la dirección en la que han aparecido sus tíos. El
Chacho está callado, taciturno, y su mirada parece rebotar
contra sus tíos y después deslizarse hacia la derecha, lamien-
do primero el vestido inmóvil de su madre y después el vestido de su hermana, a rayas horizontales gruesas, blancas y
coloradas. Josefa le sonríe pero no obtiene respuesta, porque
ya la mirada del Chacho está resbalando sobre la cabeza de la
Teresita, sobre la camisa blanca del Carozo, sobre la camisa

blanca del Segundo que corta la carne en su plato con torpeza, velozmente, y después sobre la camisa blanca de Rogelito, sobre el Ladeado que mira con fijeza y como con asombro la carne en su plato, sobre la blusa amarilla de la Negra, sobre el viejo, que cuando ve llegar a Rogelio y a Wenceslao junto al extremo opuesto de la mesa, alza la mano en señal de bienvenida sin que ninguno de los dos advierta su ademán. Rosita y Amelia charlan en voz baja y en el momento en que el viejo alza la mano para saludar a Rogelio y Wenceslao, la Negra le toca el brazo y le señala la comida en su plato diciéndole que comience a comer. Sobre la mesa hay diseminados pan, vasos, botellas de vino, fuentes de ensalada, soda. Las cuatro botellas de vino están húmedas, por haber estado sumergidas en agua, y a una de ellas le falta la etiqueta y otra la tiene desgarrada en la parte inferior. Chacho agarra la botella más próxima a él, a su derecha, y se sirve vino, llenando el vaso hasta los bordes sin sin embargo derramar una sola gota. Al dejar la botella sobre la mesa golpea con ella un vaso vacío y lo vuelca; el vaso rueda sobre la madera de la mesa en dirección a la Teresita, que lo detiene y lo vuelve a poner sobre su base. Rogelio y Wenceslao llegan a la mesa cuando Rosa, inclinada, sirve el último pedazo de cordero en el plato de Rogelio, exactamente en el mismo momento en que Teresa sirve a su vez un pedazo en el plato de la Negra, en el extremo opuesto. Rogelio espera que Rosa se retire y después se sienta; Wenceslao ocupa la cabecera. Rogelio le hace un gesto afable a Agustín indicándole que comience. Agustín se dirige al Chacho pidiéndole la botella de vino. El Chacho la recoge y se la alcanza. Agustín llena su vaso hasta la mitad, el de Wenceslao hasta el tope, el de Rogelio hasta las tres cuartas partes y después deja la botella sobre la mesa. Rogelio agarra la botella a su vez y llena el vaso de Josefa. Las rayas horizontales anchas, blancas y coloradas, se fruncen un poco cuando Josefa agradece a Rogelio con un movimiento impreciso y alza el vaso, mandándose un largo trago. Después deja el vaso sobre la mesa y vuelve a quedar silenciosa, rígida, las manos sobre la falda, mirando por entre los hombros de Rogelio y del Chacho un punto impreciso en dirección al monte de espinillos. Su madre se inclina fugaz sobre ella para decirle que coma cuando pasa con la fuente vacía en dirección al patio trasero. El vestido verde de Rosa desaparece en la esquina del rancho cuando Teresa llega a la punta de la mesa. Rogelio la ve doblar la esquina blanca del rancho y desaparecer. Parada junto a la parrilla, con la fuente vacía en la mano, observando la mitad del cordero que se asa todavía despidiendo una columna de humo oblicua y plácida, Rosa ve venir a Teresa con la otra fuente vacía. Juntas van hasta el patio trasero y dejan las fuentes sobre la mesa, una al lado de la otra: sobre la loza cachada la grasa ha comenzado a enfriarse y esquirlas de carne cocida aparecen pegoteadas en la superficie. Teresa vuelve al patio delantero. Al doblar la esquina blanca del rancho, después de pasar junto a la parrilla y a la bomba, ve la mesa entera en la que no faltan más que Rosa y ella. Pasa junto a Wenceslao en la cabecera, detrás de Rogelio, del Chacho, que mastican inclinados sobre sus platos, y después de dejar atrás la silla vacía de Rosa se sienta al lado de Rosita, a su izquierda. Amelia está probándole a Rosita un anillo de fantasía: sostiene con su mano izquierda la derecha de Rosita, que está elevada con los dedos separados y la palma hacia abajo, y con la derecha le introduce el anillo en el anular. Rosita se mira atentamente la mano, sin atreverse siquiera a sonreír. En la otra punta de la mesa, Wenceslao, que ha seguido con la vista, mientras escuchaba hablar a Rogelio, el trayecto de Teresa, siguiéndola incluso en el momento de sentarse, y viendo por lo tanto a Amelia inclinada hacia Rosita para meterle el anillo en el dedo, alza el tenedor hacia su boca con el primer bocado de cordero. Lo saca del tenedor con los dientes y lo empieza a masticar. Mientras atraviesa el patio trasero en dirección al excusado Rosa mira la parra entretejida contra cuyas hojas se quiebra la luz del farol. Dobla hacia la izquierda y cruza con rapidez el espacio que la separa del excusado. Entra con precaución y deja la puerta entreabierta para no quedar sumergida en la oscuridad que huele a excremento seco y a creolina. Rosa tantea el suelo con el pie para no meterlo en el hueco, y cuando se orienta abre las piernas, afirmándose, y comienza a alzarse la pollera. Se baja los calzones hasta las rodillas y después, acuclillándose, comienza a orinar. Le llegan voces confusas del patio delantero, y por sobre todas ellas la de la Negra, que suena ronca y como furiosa. Sin embargo, la Negra no sabe bien por qué grita: no ha visto más que a Wenceslao toser, con la cara roja, y después pararse bruscamente, lo mismo que Rogelio, que le golpea la espalda con la mano abierta. La silla de Wenceslao cae hacia atrás. Rosita pega un tirón y retira su mano de entre las manos de Amelia, y las dos miran en dirección a Wenceslao y a Rogelio. La Negra también se ha parado, gritando. El viejo alza su vaso de vino en la mano derecha y lo golpea con el índice de la mano izquierda, sacudiendo ambas manos en el aire y en dirección a la otra punta de la mesa, sugiriendo a Wenceslao un trago de vino. Atragantado con el primer bocado de cordero, Wenceslao tose y siente que le saltan las lágrimas. Todas las caras, sorprendidas, gesticulantes, están vueltas hacia él. Rogelito ha quedado con el tenedor suspendido en el aire, a mitad de camino hacia la boca; Josefa abre unos ojos desmesurados por encima del vaso de vino que está tomando a sorbos. El Ladeado se ha incorporado un poco para ver mejor. El torso amarillo y prominente de la Negra se sacude, estremecido, mientras la Negra grita y extiende el brazo en dirección a sus tíos. Cálido, ácido, pesado, el orín cae por entre las valvas de Rosa, se desvía entre sus pliegues, choca contra los bordes del hoyo circular, y después resuena al caer en el fondo del resumidero negro. Por momentos salpica sus pantorrillas, imperceptible, y su olor se mezcla al de los excrementos almacenados en el fondo y al de la creolina. Josefa deja por fin el vaso sobre la mesa y se incorpora a medias, como si estuviese dispuesta a levantarse para socorrer a su tío, pero advierte que la expresión de Wenceslao es ya más tranquila y que el color rojo que manchaba su cara ya está borrándose. Pasándose el dorso del brazo por los ojos, Wenceslao se seca las lágrimas. Después carraspea durante un momento, los brazos separados del cuerpo, encogido, los ojos desmesuradamente abiertos otra vez pero atentos a lo que está pasando en su garganta. Rogelio sigue parado, un gesto a medio realizar que no se sabe muy bien cuál es pero con el que trata de poner en evidencia su deseo de ayudar. En la otra punta de la mesa, exactamente en la otra punta, la Negra se sienta por fin. El viejo sigue elevando su vaso de vino con la mano derecha y golpeándolo con el índice de la izquierda, semisonriente, pero nadie le presta atención. Wenceslao parpadea, alzando la silla y acomodándola frente a la mesa, y se vuelve a sentar. Rogelio se sienta a su vez. Cuando el chorro de orín se detiene, después de dos o tres enviones últimos cada vez más débiles, Rosa se para y se levanta los calzones. Al entrar en contacto con las valvas peludas, la tela delgada del calzón se humedece un poco. Rosa se baja el vestido, alisándolo dos o tres veces con las palmas de las manos en el regazo y en los flancos, y sale del excusado. En esos pocos minutos sus ojos se han habituado algo a la oscuridad, y cuando llega al patio trasero la luz del farol que cuelga de uno de los travesaños de la parra la hace parpadear. El volumen de las voces aumenta cuando dobla la esquina del rancho, pasa junto a la parrilla y se detiene a un costado de la bomba; da dos bombeadas rápidas que repercuten con un ruido seco y metálico, y después abre la canilla y deja que el agua fría corra sobre sus manos, refregándoselas. Todavía está corriendo agua por la canilla, cuando continúa en dirección al patio delantero sacudiendo las manos en el aire para secárselas. Al entrar en el patio delantero, ve la mesa que brilla en el interior de la esfera de claridad. Teresa le hace una seña desde su lugar mostrándole la silla vacía. Rosa pasa al lado de Wenceslao, detrás de Rogelio y del Chacho, y se sienta entre Teresa y el Chacho. Ve, por sobre la cabeza del Carozo, las ramas más bajas del paraíso todas manchadas por la luz de los faroles. La Negra, que ha estado hablando con la vieja a través de la mesa, vuelve la cabeza hacia Rosa y le pregunta dónde ha estado. Rosa sacude los hombros sin contestar. Por mirar a la Negra mientras habla con Rosa, distrayéndose, el Segundo deja volcar sobre su camisa blanca un poco del vino que está llevándose a la boca. Tres gotas redondas color violeta, con los bordes dentados, quedan impresas en su camisa blanca, bajo la tetilla derecha. El Segundo deja el vaso sobre la mesa, sin tomar, y sacando un pañuelo oscuro del bolsillo trasero de su pantalón se seca la mano derecha, que ha sido también salpicada, y trata inútilmente de borrar los tres redondeles violetas de bordes dentados de su camisa blanca. Por un momento nadie habla: inclinados sobre sus platos, elevando hacia los labios entreabiertos los bocados de carne asada o un vaso de vino, macerando los alimentos en la boca con distintos ritmos de masticación, producen un silencio largo atravesado por el tintineo súbito de los cubiertos contra los platos, de las botellas golpeando contra el borde de los vasos, de los pies cambiando de posición y chocando contra la tierra dura bajo la mesa, de los crujidos de las sillas, de los sacudimientos de la madera; las fuentes verdes de ensalada, salpicadas del rojo de las rodajas de tomate, pasan de mano en mano y después quedan sobre la mesa produciendo un ruido rápido y sin ecos al chocar contra la madera: los sonidos parecen chocar contra las caras sudorosas y después repercutir y diseminarse. Sobre los platos, los pedazos de cordero van quedando sin carne, mostrando, a medida que son devorados, unos huesos blancos llenos de filamentos exangües y pegoteados. Sobre la superficie de los platos se va formando una película pastosa, pegajosa. Al vaciarse, algunos vasos dejan ver sobre sus paredes transparentes la marca de huellas digitales casi invisibles impresas con grasa. Hay únicamente dos vasos de vino llenos hasta el borde: el de Wenceslao y el de Rosa, que el Chacho acaba de llenar. El resto de los vasos contiene diferentes cantidades de vino, de modo que la altura del líquido oscuro varía de vaso a vaso: el de la Negra, está casi vacío; el del Segundo, lleno hasta la mitad; el de Rogelio deja ver dos centímetros de vidrio transparente en la parte superior, el de Agustín no tiene más que un sedimento en el fondo que no alcanza ni siquiera para un trago. Wenceslao alza su vaso y toma un trago corto, con precaución, retira el vaso de los labios, traga despacio, comprobando que puede hacerlo sin dificultades, y vuelve a llevar el vaso a sus labios para tomar un trago más largo. Cuando vuelve a dejar el vaso sobre la mesa, no está lleno más que hasta la mitad. Obedeciendo a una orden de Rogelio, que grita desde el otro extremo de la mesa, Rogelito se levanta para traer más vino. Pasando por detrás del Ladeado, del Segundo, del Carozo, de la Teresita del vestido a rayas gruesas blancas y coloradas, horizontales, de Agustín, deja atrás la mesa y después de atravesar el espacio vacío que separa la mesa del rancho entra en el rancho. Sobre una mesa hay un fuentón con hielo y dentro están las botellas acomodadas, semienterradas entre los pedazos de hielo. Saca un pedacito de hielo que flota en el agua, lo sacude y se lo lleva a la boca. Se queda chupando un momento, con la boca abierta, succionando el cristal helado, y dos veces lo escupe en la palma de la mano y se lo vuelve a meter en la boca. El pedazo de hielo produce una protuberancia cada vez más pequeña en sus mejillas, la izquierda o la derecha según vaya acomodándolo con la lengua. Mientras lo chupa, después que lo ha escupido por tercera vez en la palma de la mano y se lo ha vuelto a meter en la boca, comienza a desenterrar las botellas de entre el agua y el hielo que las cubren en el fuentón. Saca cuatro. Lleva dos en cada mano, y cuando vuelve a atravesar en sentido inverso el hueco de la puerta del rancho y sale al patio, el último trago de agua helada se ha entibiado un poco en su boca y ha pasado a través de su garganta. Todos comen y se mueven y hablan alrededor de la mesa servida, dentro de la esfera iluminada. Rogelito llega a la esquina de la mesa y deja una de las botellas llenas al lado de una botella vacía, frente a su padre. Después pasa por detrás de Rogelio, por detrás del Chacho cuyo cabello, al comenzar a secarse, va dejando de estar achatado contra el cráneo y ahora comienza a encresparse de un modo cada vez más evidente, por detrás de Rosa y de Teresa, y, entre las cabezas de Teresa y de Rosita, se inclina para dejar la segunda botella. Al hacerlo ve de un modo fugaz, tan rápida y distraídamente que lo olvida en forma casi simultánea, cómo la mano derecha de Rosita está apoyada sobre la tela verde del vestido, en el muslo derecho, y cómo la mano de Amelia está retirándose, en el aire, hacia arriba cerrándose ligeramente, emergiendo hacia la superficie de la mesa, como si hubiese estado apoyada sobre la mano de Rosita, ya que aunque no la ha visto allí, Rogelito piensa de un modo espontáneo, infinitesimal, que ha estado allí olvidándolo en seguida. Deja la tercera botella en la esquina, entre los vasos de la vieja, el viejo y la Negra, y al lado de otra botella que está llena de vino hasta más arriba de la mitad. Pasa por detrás del viejo, de la blusa amarilla de la Negra, de los hombros todos torcidos entre los que se hunde la cabeza del Ladeado, y después de dejar la cuarta botella casi pegada a la que depositó desde el otro lado de la mesa inclinándose entre las cabezas de su hermana y de su tía Teresa, vuelve a sentarse. Rosa agarra una de las dos botellas y se la pasa al Chacho, que tiene el tirabuzón en la mano. El Chacho despega la etiqueta que cubre el corcho y empieza a hacer girar el tirabuzón, hundiendo su espiral hasta que la punta aparece del otro lado del corcho, dentro de la botella, casi tocando la superficie del vino. Después se para, queda con las rodillas dobladas y pone la botella entre las piernas. Desde donde está sentada, la Teresita no ve ni la botella ni el mango del tirabuzón, sino a su hermano mayor medio encogido, las dos manos cerradas entre los muslos medio tapadas por el borde de la mesa, su pecho tostado vagamente visible bajo la camisa transparente, la boca apretada, los ojos semicerrados, los músculos y los tendones del cuello en tensión, toda la cara llena de arrugas y roja por el esfuerzo, y en ese momento, dándose vuelta para mirarla, el Carozo ve cómo la cara de la Teresita comienza a adoptar la misma expresión de esfuerzo, acompañando la expresión de su hermano. Por fin el corcho sale con su ruido peculiar, y dejando el tirabuzón con el corcho traspasado sobre la mesa, el Chacho empieza a sentarse otra vez, terminando de despegar los restos de etiqueta del pico e inclinando la botella hacia el vaso que Rosa le ha extendido casi mecánicamente al oír el ruido del corcho. Rosa deja su vaso lleno sobre la mesa y agarrando el de Teresa, que come en silencio, lo extiende también hacia el Chacho, que acaba de dejar la botella sobre la mesa y vuelve a agarrarlo inclinándola para llenar el vaso de su madre. El vino cae en un chorro oscuro, pesado, llenándose de reflejos rojizos verticales que quedan adheridos al vidrio transparente del vaso. Rosa deja el vaso frente a Teresa y el Chacho vuelve a depositar la botella sobre la mesa. A los oídos de la vieja, que come parsimoniosa y rígida, sin mover la cabeza, llevando despacio una y otra vez el tenedor a la boca, llega el tumulto de las voces sin inquietarla, sin que se digne una sola vez desplazar su atención hacia ese ruido continuo que choca contra sus oídos como contra una pared; en su cara mate llena de arrugas, no se mueven más que las mandíbulas y unos pliegues circulares que giran incansablemente alrededor de la boca, más pálidos que el resto de la piel. Aunque es más joven, parece incluso más vieja que el viejo, que dispensa gestos pueriles hacia los comensales creyendo en todo momento presidir la reunión, cuando, excepción hecha de la Negra, que lo atiende con una especie de afectación, nadie parece notar su presencia. Por sobre sus cabezas movedizas, descubiertas, los paraísos entrecruzan sus ramas de las que cuelgan los tres faroles inmóviles cuyos círculos de claridad se entremezclan, se superponen, creando zonas de una claridad más intensa mechadas en la claridad grande y homogénea de la esfera de luz, parte de cuya claridad va a dar contra la parte inferior de la pared blanca proyectando un resplandor semicircular sobre ella. El pelo amarillo de la Negra, separado de la blusa amarilla por la cara redonda, lisa y oscura, y el cuello grueso y estirado, se sacude cuando ella mueve la cabeza solícita hacia el viejo que la atiende sin mirarla. La Negra termina de limpiar su pedazo de cordero, dejando cuatro costillas chatas y desnudas adheridas perpendicularmente a un hueso más ancho, y cruza los cubiertos en forma de equis sobre su plato. Del otro lado de la mesa, casi en el extremo opuesto, el Chacho, que habla con Rosa con los codos apoyados en el borde de la mesa y la cabeza sostenida por las manos encimadas bajo el mentón, acaba de hacer lo mismo: sobre su plato hay un hueso cilíndrico, blanco, que refleja la luz, y cuyas puntas son más protuberantes que el centro y están cubiertas de unos restos cartilaginosos. Los ojos de Wenceslao, que se pasean plácidos por la mesa mientras mastica con gran lentitud, perciben el hueso desnudo en el plato del Chacho, ven que Rosa junta con el tenedor y el cuchillo los últimos restos de carne de su pedazo, que el Segundo ha dejado cuchillo y tenedor y sostiene con las manos un hueso del que está tratando de arrancar con los dientes los últimos filamentos de carne, mordiendo encarnizado, los ojos semiabiertos y la cabeza, que se sacude todo el tiempo, con tendencia a permanecer caída del lado izquierdo. Sin dejar de masticar, Wenceslao se pone de pie y retirando la silla informa a Rogelio que va a la parrilla a buscar un poco más de carne. Rogelio también se para. Con paso rápido, masticando todavía, Wenceslao atraviesa el patio y dobla la esquina del rancho. Rogelio lo sigue. Camina casi a la misma velocidad, mastica incluso un bocado que le ha impedido formular sus protestas de ayuda con más claridad, frustración de la cual se resarce caminando rápido; ve cómo su sombra se proyecta sobre el semicírculo iluminado de la pared blanca y después dobla a su vez la esquina del rancho y al comenzar a flanquear la pared lateral ve, más allá de la bomba y cerca del horno blanco, cómo Wenceslao se ha inclinado hacia la carne que se asa en la parrilla y la estudia, sin tocarla, mirándola bajo la escasa luz que recibe, que es una mezcla del resplandor débil del fuego que ya está casi borrándose y de los reflejos indirectos que provienen de los faroles colgados de los paraísos en el patio delantero y de entre los travesaños de la parra en la parte de atrás. La claridad de los patios no se proyecta sobre el lugar de la parrilla sino a sus costados, lo que da todavía, y por un momento, la ilusión de una penumbra más grande. Josefa sigue con la mirada a Wenceslao, que se ha levantado, corriendo hacia atrás su silla, masticando todavía un bocado, y a Rogelio, que se ha parado inmediatamente después que Wenceslao, siguiéndolo a cierta distancia, más pesado y más indeciso, ya que ha vacilado un momento junto a la mesa antes de empezar a seguirlo, de modo que cuando Wenceslao dobla la esquina del rancho Rogelio está todavía atravesando con paso rápido el espacio vacío que hay entre la mesa y la pared blanca del rancho, sobre la que la sombra de Rogelio se refleja al pasar. Al fin Rogelio desaparece también doblando la esquina afilada y Josefa permanece un momento mirando la pared por encima de las dos sillas vacías que han quedado en desorden y separadas de la mesa. Sobre la pared se refleja un semicírculo de luz que se continúa en el piso de tierra dura. Cuando su padre le toca el brazo desnudo con la punta del dedo, para pedirle la fuente de ensalada, no solamente el brazo sino todo el cuerpo cubierto por el vestido de rayas coloradas y blancas, horizontales, se estremece levemente. Sin siquiera mirar a Agustín, sin volver la cabeza, Josefa recoge la fuente de ensalada y se la alcanza. Agustín agarra la fuente y comienza a servirse en silencio. Sostiene la fuente con la mano izquierda, en declive hacia su plato, y con el tenedor, sostenido en la derecha, va arrastrando hojas de ensalada empapadas de aceite y mezcladas a las manchas rojas del tomate que van cayendo en su plato en medio de una especie de chapoteo. Rogelio llega junto a Wenceslao y se inclina a su lado, mirando a su vez la carne en la parrilla, y después se endereza y sigue hasta el patio trasero. Bajo el farol, sobre la mesa, están las dos fuentes, un largo tridente de hierro negro y el mismo cuchillo de mango amarillo con que Wenceslao ha sacrificado el cordero. Wenceslao se incorpora y se dirige al patio trasero, pero antes de llegar ve aparecer a Rogelio con el tridente negro y la fuente de loza cachada. Se detiene, se da vuelta, y se dirige otra vez hacia la parrilla.

Dejando sobre la mesa el vaso de vino del que acaba de tomar un largo trago, Wenceslao oye a Rogelio gritar a Rogelito que traiga más vino, y ve cómo Rogelito se levanta, avanza hacia la cabécera flanqueando la mesa, y después la deja atrás, desapareciendo a sus espaldas en dirección al rancho. Wenceslao se inclina otra vez hacia su plato y corta un pedazo de carne que se lleva a la boca. Lo mastica con lentitud, sin cautela, aunque siente todavía un ardor ligero en la garganta. Mientras mastica el pedazo de carne con movimientos suaves de mandíbula, alza la cabeza hacia el otro extremo de la mesa, en el que ve al viejo sacudir la cabeza con expresión atenta, mientras la Negra le habla con vehemencia; en la hilera que tiene a su derecha, casi en la otra punta, Amelia y Rosita comen con una sola mano, Amelia con la izquierda, Rosita con la derecha, bocados de carne que han cortado previamente utilizando las dos manos. Las manos ocultas reaparecen casi al mismo tiempo, la de Amelia adelantándose por una fracción de segundo, y recogen los cuchillos abandonados al costado de los platos. Casi al unísono, ambas realizan la misma operación de cortar un bocado de carne, y después, abandonando los cuchillos, las dos manos vuelven a desaparecer, la de Amelia siguiendo a la de Rosita con una diferencia de segundos. Al comprobar que el viejo dirige la mirada hacia la otra punta de la mesa, mirando a Wenceslao, la Negra se distrae un momento de la conversación y mira en la misma dirección, justo para ver a Rogelito, detrás de la cabeza de Wenceslao, desaparecer en el interior del rancho. Su sombra se ha proyectado un momento sobre el semicírculo de luz que hace brillar la pared blanca. Todos comen y se mueven y hablan alrededor de la mesa servida en el centro de la esfera iluminada. Hasta los oídos de la vieja llegan los sonidos confusos de la fiesta, como un solo sonido. Pétrea, lenta y tranquila, la vieja mastica con gran dificultad y toma de vez en cuando cortos tragos de vino. Cubierta por la envoltura de ruido, de luz y de sabor, la mesa está como incrustada en la gran masa de oscuridad y como separada de ella por su envoltura. La luz golpea contra las hojas de los árboles en forma cada vez más débil a medida que cobra altura. La sonrisa diligente que la Negra dirige a la vieja, después de girar la cabeza dejando de mirar a Wenceslao, rebota contra la cara arrugada sin obtener ninguna respuesta. El chorro de su conversación con el viejo se ha cortado, y el viejo parece ahora absorto en algún pensamiento trabajoso y oscuro. La Negra se vuelve hacia el Ladeado, que mastica un pedazo de carne con los ojos desmesuradamente abiertos, y lo abraza, dándole dos o tres besos ruidosos en la mejilla. El cuerpito del Ladeado parece como aplastarse, y volverse blando e informe bajo el abrazo súbito de su hermana. El tenedor vacío que tenía en la mano cae sobre el asiento de paja de la silla vacía de Rogelito, rebota y desaparece bajo la mesa. Cuando la Negra lo suelta, el Ladeado comienza el descenso trabajoso de la silla hasta que toca el suelo con los pies, y después de inclinarse buscando infructuosamente el tenedor se mete en cuatro patas, tanteando el suelo de tierra con las manos; gatea un momento bajo la mesa, resoplando, viendo las piernas de los comensales moverse en la semipenumbra y por fin distingue el tenedor entre los pies de su madre, los pies en que terminan las piernas flacas y negras, llenas de várices. El Ladeado gatea hacia el tenedor y, recogiéndolo, vuelve a gatear hacia su silla. Comienza a incorporarse entre las dos sillas vacías, apoyándose en los dos asientos de paja, con un movimiento lento, complicado, que realiza en varias etapas, hasta que se pone por fin de pie, jadeando y resoplando. Sostiene el tenedor con la mano derecha. Acomoda la silla frente a su plato y se sienta. Comienza a examinar con gran cuidado los dientes del tenedor, sobre los que la tierra se ha adherido formando una película oscura y grasienta. El Ladeado limpia el tenedor con la manga de su camisa, refregándolo con fuerza, y después pincha con él un pedazo de carne. Se inclina tanto hacia su plato que para llevar el bocado hasta la boca le basta un breve movimiento rápido, vuelve a incorporarse, masticando, y observa a Rogelito, que acaba de salir del rancho trayendo consigo varias botellas de vino. Lo sigue con la mirada mientras las distribuye sobre la mesa. Rogelito se sienta junto al Ladeado. En el momento mismo en que Rogelito se sienta, Rosa agarra la botella que está más próxima a ella y se la extiende al Chacho, que tiene el tirabuzón en la mano. El Chacho introduce el tirabuzón en el corcho y después se incorpora para sacarlo. Su cara enrojece, congestionada por el esfuerzo. Cuando la botella está abierta y el Chacho vuelve a sentarse, Rosa le extiende sucesivamente su vaso y el de Teresa, vacíos, y el Chacho los llena de vino tinto casi hasta los bordes. Después de eso, el Chacho termina rápidamente de comer. Cuando ha tragado el último bocado hace chasquear la lengua y trata de despegar con ella unas fibras de carne que han quedado adheridas entre sus dientes. Sus ojos se encuentran un momento con los del Segundo, que mordisquea un hueso; el Segundo le dirige un gesto impreciso, que consiste en sacudir la cabeza dos o tres veces, sin dejar de mordisquear el hueso, y abrir desmesuradamente los ojos. La expresión con que el Chacho responde a su hermano revela una suerte de resignación, malhumor y desgano. De golpe, Wenceslao primero, Rogelio una fracción de segundos más tarde, se paran y se encaminan hacia la parte trasera del rancho. Sus sombras se proyectan un momento, sucesivas, sobre la pared iluminada, y después desaparecen. Al ver a Rogelito acercándose hacia el sitio en el que está sentada, mientras distribuye botellas de vino dejándolas en distintos puntos de la mesa, Amelia retira la mano de sobre la de Rosita, que descansa blandamente sobre la tela verde del vestido, en el muslo derecho. Los dedos de Amelia han estado jugando con los dedos largos y duros de Rosita. Al reaparecer sobre la mesa, la mano de Amelia recoge el cuchillo y comienza a cortar la carne, sin mucho esfuerzo. La mano izquierda, que sostiene el tenedor, se alza hacia la boca, y los dientes se aferran al pedazo de carne. Amelia retira de su boca el tenedor vacío y mastica. Después su mirada se clava en la cabellera amarilla de la Negra, detrás de cuya cabeza pasa la camisa blanca de Rogelito, que deja la última botella de vino sobre la mesa y gana su silla. Los ojos de Amelia siguen el movimiento de Rogelito y después vuelven a posarse sobre la cabellera amarilla que se mueve y que parece emitir reflejos más densos que los de la luz. Después Amelia traga y corta otro pedazo de carne. Su mano derecha deja el cuchillo apoyado en el borde del plato, su tenedor pasa de la mano izquierda a la derecha, y la mano izquierda comienza a bajar hacia el muslo derecho de Rosita, cuyas dos manos, la derecha con el cuchillo, la izquierda con el tenedor, se ocupan de cortar un pedazo de carne. El serrucheo de los cuchillos sacude imperceptiblemente la mesa, estremeciendo el vino en los vasos y en las botellas. Los reflejos rojizos del vino tiemblan ligeramente. La mano se apoya sobre la tela verde un poco áspera, y la hace deslizar hacia arriba; después la mano se detiene y toca, con el pulgar y el índice, la carne del muslo. El resto de los dedos ha quedado sobre la tela verde y la sensación que la tela áspera deja en las yemas contrasta con la que produce la piel dura y lisa, bajo la cual los músculos se han contraído un poco, en el pulgar y el índice. Después la mano baja y se ahueca en la rodilla. La sensación de la tela áspera permanece un momento como adherida a la yema de los dedos, a la palma húmeda, y cuando la mano se cierra sobre la rodilla huesosa, más dura, más irregular, la sensación es más fuerte y más salvaje, de modo que el recuerdo de la tela verde desaparece de la yema de los dedos. La mano sube otra vez, roza la piel lisa del muslo, la tela verde, y vuelve a aparecer sobre la mesa, recogiendo el cuchillo apoyado sobre el borde del plato. El cuchillo pasa a la mano derecha y el tenedor a la izquierda. La mirada fugaz de Amelia se detiene, durante un segundo, en el perfil de Rosita: la expresión de ésta es firme, inalterable, como si todo su cuerpo estuviese hecho con la misma piedra dura de las rodillas. Más allá del perfil inexpresivo de Rosita, en la punta de la mesa, el cuerpo de Wenceslao se yergue, corriendo hacia atrás la silla. Casi en seguida Rogelio se para también, una cabeza más alto que Wenceslao, y comienza a seguirlo cuando Wenceslao se da vuelta y se dirige hacia la parte trasera del rancho. La sombra de Rogelio se superpone un momento a la de Wenceslao, imprecisa, sobre la pared iluminada del rancho. Después desaparecen en la esquina, en dirección a la parte trasera. El Chacho se inclina ligeramente a la izquierda cuando Rogelio se levanta, de un modo brusco, para seguir a Wenceslao hacia la parte trasera. El alto cuerpo de Rogelio cubre un momento el más magro de Wenceslao, y el Chacho percibe las gotas de sudor que corren por la cara lisa y oscura de Rogelio, humedeciendo el bigote negro. Rogelio mastica rápidamente y se apresura a tragar para poder expresar de un modo más preciso y vehemente su deseo de colaborar con Wenceslao. Después el Chacho ve que la mano de Agustín se estira hacia la copa de vino, la agarra y la lleva hacia la boca. En el momento en que la copa toca sus labios, Agustín gira los ojos hacia sus concuñados, arruga la frente y los mira alejarse en dirección a la parte trasera del rancho. Los ve desaparecer y cuando retira el vaso de sus labios está casi vacío. Lo deja sobre la mesa. Sus manos vacilan un momento antes de decidirse a retomar el cuchillo y el tenedor y continuar comiendo. Al aferrar los cubiertos, las manos de Agustín se llenan de protuberancias blancuzcas y cartilaginosas y el movimiento hace resaltar sus venas gruesas como cordones. Al murmullo de la mesa se suman en su mente el murmullo del vino y el del día transcurrido, produciendo un sonido continuo, de altura monótona, que parece aislarlo del exterior como una especie de sordera. Sin mirarlo una sola vez, percibe también de un modo continuo el resplandor colorado y blanco del vestido a grandes rayas de Josefa, que ahora está inmóvil a su lado. Por encima de las cabezas las hojas de los paraísos brillan inmóviles. Cuando Wenceslao se levanta, Rogelio acaba de llevarse un pedazo de carne a la boca como si hubiese estado dispuesto a masticarlo durante un largo rato, sin apuro, y dejando ruidosamente los cubiertos sobre su plato, se para a su vez. Es una cabeza más alto que Wenceslao. Discuten un momento. Al fin Wenceslao hace girar su cuerpo y comienza a caminar en dirección al patio trasero, seguido de Rogelio. Rogelio ve el cuerpo magro de Wenceslao mantenerse a una distancia regular, adelante, avanzando rápido hacia la esquina del rancho, siempre a la misma distancia, proyectando una sombra amplia y móvil contra la pared blanca sobre la que durante una fracción de segundo viene a imprimirse su propia sombra superponiéndose a la de Wenceslao y sobre la que permanece un momento su propia sombra sola después de que la de Wenceslao desaparece cuando Wenceslao dobla la esquina del rancho. Rogelio dobla la esquina del rancho y sigue a Wenceslao, por el costado de la casa. Cuando llega a la altura de la parrilla, Wenceslao se detiene y se inclina para observar la carne. Rogelio pasa junto a la bomba y se inclina también junto a Wenceslao, observando la carne. De la parrilla sube una columna de humo delgada, oblicua: es lenta y olorosa. Sobre las varillas horizontales de hierro la mitad del cordero, oscurecida por la cocción, crepita, imperceptible. Debajo de la parrilla resplandores débiles de las brasas emergen de una capa cada vez más espesa de ceniza. Son resplandores de un rojo atenuado, homogéneo. A un costado, el fuego adicional, destinado a alimentar las grasas bajo la parrilla, ha desaparecido por completo. No queda más que una capa de ceniza grisácea, circular. La esfera blanca del horno, detrás de Rogelio, relumbra en la oscuridad, flanqueada por las manchas de luz que provienen de los dos patios. Rogelio se incorpora y se dirige al patio trasero. Wenceslao permanece junto a la parrilla, inclinado hacia la carne. Alza la cabeza viendo a Rogelio alejarse en dirección al patio trasero, hasta que lo ve desaparecer. Después observa nuevamente la carne. Hasta el lugar en el que está ha estado llegando en todo momento el tumulto de las voces, que se detiene de golpe, como si todo el mundo se hubiese puesto de acuerdo para hacer silencio al mismo tiempo. Wenceslao se yergue, esperando. Oye ruidos metálicos provenientes del patio trasero, y después se hace otra vez un silencio completo. Lejísimo, en dirección a las islas, suena una risa, y prestando atención Wenceslao percibe un murmullo apagado de ruidos, gritos y voces que vienen del otro lado del río. Al murmullo viene como adherida la imagen de unas ramas perforadas de luz en el interior de algún patio, y de una mesa alrededor de la cual un grupo de personas están sentadas comiendo y bebiendo. Es una imagen rápida, reducida, que la risa ha iluminado como un relámpago, y que el recomenzar del tumulto de las voces en el patio delantero y la reaparición de Rogelio, trayendo una fuente y el tridente, en el momento en que Wenceslao comienza a dirigirse hacia el patio trasero, borran por completo. Rogelio sostiene la fuente mientras Wenceslao manipula la carne con el tenedor y la mano libre y la deposita sobre ella. Rogelio se dirige al patio trasero, seguido de Wenceslao, oyendo su respiración y el chasquido de sus alpargatas que chocan continuas, con un ritmo regular, contra la tierra dura de los patios. Rogelio deja la fuente vacía sobre la mesa. Están la otra fuente vacía y la cuchilla. La luz del farol se quiebra entre las hojas de la parra y cae, quebrada, sobre la mesa. Wenceslao comienza a despedazar el cordero. Saltan fragmentos de carne dorada, reseca, y los huesos, al quebrarse o separarse en las articulaciones, producen unos sonidos estirados y opacos. Rogelio mira un momento las hojas de parra, translúcidas, la llama inmóvil del farol que cuelga del travesaño y después se da vuelta un momento y observa el patio vacío, y detrás de los paraísos, a los que la luz del farol apenas roza, los árboles que nadie plantó nunca, amontonados, espesos, manchas todavía más negras de oscuridad que la oscuridad misma, perforados de un modo inconstante y arbitrario por la luz lunar. Wenceslao trabaja con la boca abierta, los ojos entrecerrados, hundiendo el cuchillo en la carne, y cuando termina, dividiendo en dos el último pedazo, se chupa los dedos. Cuando reaparece en el patio delantero, después de doblar la esquina del rancho, llevando la fuente, Rogelio ve el conjunto que habla y se mueve en el interior de la luz. Lleva la comida con una especie de euforia y a medida que va aproximándose a la mesa ve, sin detenerse demasiado a considerarla, la complejidad de los movimientos de los comensales, que parecen constituir un cuerpo único del que los cuerpos individuales y los gestos que realizan no son más que manifestaciones parciales, fugaces, y del que él mismo, que lleva la fuente hacia la mesa, e incluso Wenceslao, que ha de estar viniendo detrás suyo en ese momento, del patio trasero, atravesando el costado de la casa, pasando junto a la parrilla vacía, junto al horno blanco que relumbra, junto a la bomba, no son más que simples extensiones a las que la elasticidad del cuerpo al que pertenecen ha permitido un alejamiento relativo. Un solo cuerpo en el interior de la luz, en la que no hay lugar más que para ese cuerpo solo, y del que la luz es como la atmósfera o el alimento más que la carne asada que reposa en la fuente sostenida por las manos de Rogelio. Aparte de la excitación misma provocada por la comida que lleva, Rogelio no tiene ningún pensamiento, ninguna impresión de ese cuerpo único al que pertenece. Llega por fin a la mesa y comienza a dejar un pedazo de carne en cada plato: en el de Agustín, en el de Josefa cuyo vestido a rayas horizontales blancas y coloradas se hace a un lado para permitirle inclinarse y dejar más cómodamente la carne en su plato. Después que Rogelio se ha retirado, Josefa se endereza otra vez y habla con Wenceslao, que acaba de sentarse y que alza en ese momento su vaso de vino. La cabeza veteada de gris, la cara magra, se inclinan hacia atrás mientras la mano que sostiene el vaso va vaciándolo a medida que lo vuelca entre los labios. Después la mano retira el vaso de entre los labios y lo deposita en la mesa, al mismo tiempo que la cabeza queda otra vez vertical y el cuerpo se endereza. Wenceslao responde a Josefa con monosílabos y después mira a Rogelio, que está dejando un pedazo de carne en el plato de la Negra y cubre parcialmente con su cuerpo las manchas amarillas de la cabellera y la blusa. El cuerpo incrustado en la esfera de luz sacude todos sus miembros, alimentándose, moviéndose, uno y múltiple, y cuando llegan los músicos, hacia el final de la comida, el cuerpo se abre un momento, absorbiéndolos, cerrándose otra vez por detrás, dejándolos adentro.

Había una vez un nene que se llamaba Wenceslao. Su papito era pescador, y vivían en una casita preciosa a la orilla de un río. En ese país el río tenía muchas, pero muchas orillas, y no dos, como en otros países, porque el río era muy ancho y estaba lleno de islas en el medio.

Un día en que había mucha niebla el papito de Wenceslao llevó al nene a una de las islas ¿no? a cazar nutrias. Como no se veía nada, el nene se asustó mucho, pero después salió él solo, y volvieron a ir muchas veces a esa isla hasta que se quedaron a vivir allí. Cazaban y pescaban, y después iban al pueblo a vender lo que recogían.

La dueña de la isla ¿no? era una viuda muy rica y muy buena. Era una señora muy, pero muy piadosa que iba todos los días a misa y que tenía dos nenes mellizos. Cuando el papito de Wenceslao se hizo viejo, vino un ángel muy hermoso y se lo llevó al cielo. Wenceslao, que había crecido y aunque era hijo de un pobre pescador era bello como un principito, le pidió permiso a la viuda y se quedó a vivir en la isla. Era un muchacho honrado y laborioso.

La casita en la que vivía, aunque humilde, era preciosa y aseada. Tenía su huerto y su jardín. Entre los árboles del huerto había un limonero real. La gente de la comarca decía que era un árbol milagroso, porque daba muy buenos frutos, tanto en invierno como en verano, y nunca se secaba. Siempre estaba florecido. En la comarca decían que el papito de Wenceslao lo había encontrado en la isla y que a causa del árbol había construido allí su morada (su morada, que quiere decir una casa).

Como ya era un hombre hecho y derecho ¿no? Wenceslao decidió que había llegado la hora de buscar esposa. Nadie en la comarca se explicaba cómo un joven tan agraciado seguía siendo todavía soltero. Wenceslao decidió consultar a la viuda, que conocía a todas las muchachas casaderas de la comarca, y que podía aconsejarle una buena esposa.

Vino a suceder ¿no? que otros dos muchachos de la comarca se hallaban también para esa época en situación de buscar esposa. También ellos fueron a consultar a la viuda. Uno se llamaba Rogelio y el otro Agustín. Los dos trabajaban en el pueblo. Como los tres habían ido a hablar con la viuda el mismo día, ésta, que quería mucho a Wenceslao, pero que quería también conformar a los tres muchachos, debió reflexionar mucho antes de resolver tan difícil situación. Por fin recordó que en una comarca vecina vivía un pescador anciano y honrado, que tenía tres hijas a las que quería ver casadas cuanto antes.

Al día siguiente, mandó la viuda un mensajero al buen viejo. Grande fue la alegría del viejo al saber que tan piadosa señora había encontrado tres candidatos para sus hijas. Con el mismo mensajero mandó decir que recibiría a sus futuros yernos con gran beneplácito, y preparó una gran fiesta. Cuando los tres jóvenes llegaron pocos días después, los esperaba una mesa servida con los más exquisitos manjares. Aunque modesta, la casa del viejo era preciosa y aseada, ya que a su arreglo contribuían no poco sus tres hijas, bellas como tres princesitas.

Como era Wenceslao el mayor de los tres jóvenes, fue la mayor de las hijas la que le tocó en suerte. Agustín se casó con Teresa, la segunda, y Rogelio con Rosa, la menor. Las tres eran morenas, graciosas de ojos negros, y larga cabellera color azabache (que es una cosa de color negro). Las bodas se celebraron juntas el mismo día. El buen anciano no cabía en sí de contento. Al poco tiempo, como premio a su larga y honesta vida, vino un hermoso ángel y se lo llevó al cielo.

Wenceslao y su bella esposa fueron el primer tiempo muy felices. Vivían en la preciosa casa de la isla y sus días pasaban apaciblemente. Tan hacendosa como bella, la hija del viejo pescador era una excelente mujer, llena de buenas cualidades. A la pesca y a la caza, abundantes, Wenceslao sumaba el producto de las cosechas anuales, que compartía con sus parientes. De este modo, nada faltaba a su familia y vivían sin estrecheces.

Una nube vino sin embargo a empañar esa perfecta felicidad. El buen pescador y su esposa deseaban fervientemente un heredero, pero por mucho que rogaban al cielo, el tiempo transcurría sin que obtuviesen la respuesta deseada. No se resignaban, sin embargo, y redoblaban sus ruegos plenos de confianza. Tres años habían ya pasado desde el día de la boda sin que el cielo colmase sus anhelos.

Cuánto mayor sería la decepción del buen pescador y su esposa al ver que sus parientes parecían recibir en abundancia el don que a ellos se les negaba. Agustín y Teresa habían recibido la visita de la cigüeña, que les había dejado ya una preciosa niña, bella como una princesita, y un robusto varón que hacía las delicias de sus padres. Rogelio y Rosa también habían recibido la visita de la cigüeña: desde hacía un año, su hogar se alegraba con la presencia de una niña hermosa y llena de salud, que murió un poco más tarde.

Bueno. Desesperaban ya los nobles esposos, cuando vino a suceder que un día en que estaba pescando, Wenceslao se quedó dormido, y fue despertado por un murmullo que venía desde el agua. Al abrir los ojos vio frente a sí una hermosa Ondina (que son unos espíritus que viven en las aguas). La Ondina lo miraba bondadosamente, sonriéndole, y por fin le dijo: "Yo soy el espíritu de las aguas. No temas. Si cumples con tus deberes como has venido haciéndolo hasta ahora y realizas tres buenas acciones antes de la medianoche de mañana, para el año próximo tus deseos serán colmados". Luego de esto, la Ondina desapareció entre las aguas.

El pescador se fue corriendo, corriendo a su casa, para comunicar a su mujer la buena nueva. La encontró bordando en el jardín. Al conocer la aparición de la Ondina y sus palabras, la buena mujer comenzó a batir palmas (que quiere decir golpear las manos, aplaudir) y a llorar de felicidad. "Debes ir hoy mismo al pueblo. Allá encontrarás gente necesitada de ayuda y podrás realizar las tres buenas acciones", le dijo a su marido. Le preparó un paquetito con ropa y comida y el noble pescador salió para el pueblo, al que llegó de noche. Hizo nono en un hotel y a la mañana siguiente, bien tempranito, ¿no?, se fue a la plaza del mercado, donde había mucha gente, a ver qué buena acción podía realizar. Ya había pasado más de una hora, sin que se le presentase ninguna ocasión, cuando de pronto vio pasar corriendo a un hombre y detrás a otro que lo perseguía gritando: "¡Al ladrón! Al ladrón". El buen pescador se puso a correr en su ayuda, y pronto alcanzó al amigo de lo ajeno que ya ganaba las afueras del pueblo. Fuertemente sujeto lo presentó a su perseguidor, quien exclamó: "Aprovechando que yo estaba distraído mientras atendía a mis clientes, este pícaro me ha robado un salamín. Devuélvemelo", le dijo al ladrón. El ladrón, temblando todo, sacó el salamín de entre sus ropas: "Piedad, señor", dijo al dueño del salamín. "Lo llevaba a mis pobres niños, que están muriéndose de hambre." "¿Y mis niños acaso tendrán también que morirse de hambre si los ladrones como tú vienen a robar mis salamines?", dijo el pobre vendedor. "Vamos, vamos, te entregaré al alguacil (así se llamaba en esa comarca el comisario) para que te corte la cabeza." "Piedad, señor", rogaba el ladrón, "mis pobres niños quedarán sin padre si me hacéis cortar la cabeza". Más imploraba el ladrón, que parecía sinceramente arrepentido del pecado que acababa de cometer, más le recriminaba el vendedor. Mientras el buen pescador contemplaba la escena, preguntándose en qué iría a parar, hizo la siguiente reflexión: "He ayudado a un hombre a quien habían robado, capturando al ladrón y haciéndole devolver lo robado. He aquí una buena acción. Ahora hay un pobre diablo que será separado de sus hijos. Si obtengo clemencia para él, habré realizado ya una segunda buena acción". Unió entonces sus ruegos a los del ladrón, y luego de una larga discusión con el vendedor obtuvo la clemencia deseada.

Después de tan buen comienzo, volvió satisfecho al mercado. Pasó sin embargo toda la jornada sin que pudiese encontrar a nadie a quien ayudar y realizar así su tercera buena acción. A medida que pasaban las horas crecía su inquietud. Y a la noche, cuando ya todo el pueblo estaba en su camita haciendo nono, el pobre pescador no tuvo más remedio que volver a su casa, deshecho en lágrimas.

Llegó pocos minutos antes de medianoche. Su buena mujer estaba desnuda en la cama ¿no? tiritando de frío. No había ni frazadas ni sábanas ni nada. "Qué haces allí, mujer", preguntó el buen pescador sorprendido. "Ay, esposo mío", contestó la buena mujer. "Como hacía hoy tanto calor, decidí lavar la ropa de cama, sin pensar que a la noche refrescaría tanto. ¿No podrías cubrirme con tu cuerpo hasta la mañana para darme algo de calor? Sé que será un sacrificio, ya que no podrás dormir y estarás incómodo. Pero yo sé que eres bueno y serás capaz de realizar esa buena acción." Antes de que su mujer hubiese terminado de hablar, ya el pobre pescador se había echado sobre ella, cubriéndola y dándole calor. "Ya no tengo frío", le dijo, ¿no?, muy complacida, su esposa. En ese momento sonaron las doce campanadas anunciando la medianoche.

Al año siguiente las buenas acciones del pescador fueron recompensadas. Un robusto varón bello como un principito trajo la alegría a su hogar. Marido y mujer no cabían en sí de gozo. El niño creció sano y alegre. Acompañaba a su papito cuando salía de pesca y ayudaba a su mamita, que lo adoraba, en las tareas de la casa. Además de hermoso muchacho, era aseado y obediente.

Muchas fueron las oraciones que elevaron el buen pescador y su esposa al cielo, pidiendo un hermanito. Sus votos, sin embargo, no se cumplieron. Y como se estaba quejando a la orilla del agua, se le apareció otra vez la Ondina diciéndole: "No seas ambicioso. No pretendas más de lo que tienes porque te perderás. Confórmate con lo que te hemos concedido". Luego desapareció.

El pescador volvió a su casa, avergonzado de su ambición desmedida. No demoró en contar a su mujer la aparición de la Ondina, y juntos se resignaron a su destino.

Pasaron muchos años. El muchacho creció. Era honesto y laborioso, y todos cuantos lo conocían quedaban admirados de su prestancia y su bondad. Cuando fue mayor lo llamaron al ejército para defender a su patria, lo que llenó a sus papitos y a él mismo de orgullo y felicidad. Pasó un año entero defendiendo su bandera y volvió sano y salvo.

Como eran tiempos de guerra ¿no? había mucha pobreza en la comarca. Era un castigo del cielo que alcanzaba tanto a los pobres como a los ricos. Los ricos, que son más previsores que los pobres, podían subsistir pasablemente, pero los pobres atravesaban una situación muy, pero muy difícil. El muchacho decidió ir a probar fortuna en el pueblo. El buen pescador y su esposa discutieron toda la noche si debían dejarlo ir o no. Por fin, le dieron su permiso.

Partió el muchacho, dejando a sus papitos muy inquietos. Pasaron muchos meses. Un día vino un mensajero del pueblo diciendo que había bajado un ángel del cielo y se había llevado al muchacho.

El pobre pescador y su esposa fueron presa de gran consternación (que quiere decir de gran tristeza). Uno a otro se culpaban por haber dejado ir al muchacho a buscar fortuna en el pueblo. No paraban durante todo el día las lamentaciones. La mujer no atendía los quehaceres del hogar y el buen hombre se volvió desaseado y holgazán.

La preciosa casita que Wenceslao había heredado de su papá, con su huerto y su jardín, se venía abajo de sucia y descuidada. Los yuyos crecían en el jardín y en el huerto, y toda clase de bichos malos habían hecho allí su nido. Las hormigas que, aunque laboriosas, son tan dañinas para las plantas, se comían todo, y no bien uno se ponía a caminar por el huerto ¿no? ya le saltaban encima las arañas y las víboras.

En vano venían los parientes a consolarlos de su gran

amargura. A la vista de ellos, rodeados de sus hijas y de sus hijos, que eran bellos como princesitas y principitos, la desazón (que quiere decir también la tristeza) de los pobres esposos era aún más grande.

Así pasaron varios años. A causa de su abandono, el pobre pescador fue perdiendo los pocos bienes que tenía. Sólo se mantenía en pie, en el huerto, el limonero real, del que las gentes de la comarca decían que era un árbol milagroso. Había estado allí desde antes de nacer el buen hombre y seguiría estando allí cuando le tocase a él, a su turno, subir al cielo. El desaseo del huerto se hacía más evidente comparado con el árbol milagroso, siempre lleno de flores y de frutos. Sus hojas brillaban frescas y perfumadas, y todo alrededor del árbol parecía flotar siempre un misterioso resplandor.

Al pobre pescador ya no le quedaba nada. Se había abandonado a la bebida y apenas si pescaba lo necesario para comer. Del buen pescador honrado y laborioso ya no quedaba ni la sombra.

Sucedió que un día Wenceslao fue a pescar al lugar donde la Ondina se le había aparecido por primera vez. Tiró sus líneas y se echó a dormir la siesta a la sombra, bajo los efectos de una borrachera. En medio de su sueño, ¿no?, un murmullo lo despertó. Era la Ninfa de las aguas. El pobre hombre no sabía si soñaba o estaba despierto, y debió pellizcarse varias veces para convencerse de que los efectos de la borrachera no le hacían ver visiones.

La Ondina, que era hermosa como una princesa, le habló de la siguiente manera: "Crees haber caído en desgracia porque un ángel ha bajado del cielo para llevarse a tu hijo. En vez de lamentarte, deberías ver en ello un buen presagio". Dicho esto, desapareció.

El pobre pescador corrió a comunicar a su mujer la aparición de la Ondina. Incrédula, la mujer atribuyó la presunta aparición a una pesadilla (que quiere decir un mal sueño, cuando uno ha comido mucho) causada por la borrachera. Pero Wenceslao creyó en la aparición y a partir de ese momento abandonó la bebida. Comunicó la buena nueva a sus parientes, que se pusieron muy, pero muy contentos.

El buen hombre volvió a ser el honesto y laborioso pescador que todos conocían. Otra vez su casita volvió a ser la preciosa morada heredada de su papá. Limpió el huerto y el jardín. Las laboriosas hormigas debieron procurarse en campo inculto su comidita.

Una nube sin embargo empañaba los días del buen pescador. Su mujer se negaba a creer en la aparición de la Ondina. No creía tampoco que el ángel que había llevado al cielo al muchacho fuese un ángel bueno. Se negaba a aceptar con resignación su destino. Se peleaba a menudo con su marido, burlándose de su optimismo. Más crecía ese optimismo en el buen hombre, más la mujer se volvía huraña y pesimista. Ya casi no se hablaban, y el pescador aprovechaba cuanta ocasión se le presentaba para alejarse de su casa. En los días de fiesta iba a visitar a sus parientes, y en vano invitaba a su mujer a acompañarlo, pues ella se negaba a salir de su casa y se pasaba días enteros sin hablar.

Ahora bueno. Había en la comarca, ¿no?, unos malos espíritus que se llamaban las Perras. Eran todos espíritus de mujeres que habían sido malas y que por eso se habían convertido en malos espíritus. Eran feas, sin dientes, y estaban siempre vestidas de negro. Eran muy, pero muy viejas, y muy, pero muy sucias. Como la cigüeña nunca les traía ningún nenito, ellas, mediante engaños, atraían a las mujeres que no tenían nenes y a las viudas malas y feas prometiéndoles poderes milagrosos. Las que creían en sus palabras pronto se veían convertidas en Perras y formaban parte de su cofradía (que quiere decir una asociación, como todos los nenes del mismo club, que juntos forman una cofradía).

Las Perras trataban por todos los medios de perjudicar a la gente del pueblo. Cuando veían una familia que se llevaba bien, ellas se entremetían para hacerlos enojar, y si querían molestar a alguno, ¿no?, se ponían a cantarle en el oído unos cantos espantosos, llenos de malas palabras, y no paraban nunca de hacerlo, pero nunca nunca. Cantaban sin acompañarse de ningún instrumento. Se pasaban meses, años, cantando en el oído de algún pobre hombre esa canción tan fea. Ni las Ondinas, ni las Hadas, ni los Reyes, ni los ángeles, podían hacer nada. Únicamente el Arcángel Gabriel podía salvar al pobre hombre de ese canto.

Presten atención, porque ahora viene lo más maravilloso de esta historia. Es una historia muy, pero muy hermosa. Escuchen para que vean el premio que recibirán algún día si tienen fe, y son buenos y obedientes.

Las Perras convencieron a la mujer del pobre pescador de que su marido estaba medio loco, ¿no?, y de que ellas iban a devolverle la razón. La mujer les creyó. Entonces ellas, dándole un brebaje (que es una bebida que hace mal cuando uno la toma), la convirtieron en Perra. Por fuera, la mujer quedó igual que siempre, pero por dentro era una de las Perras. Cuando querían perseguir a alguno la mandaban a llamar. Era su espíritu lo que se llevaban. Ella se quedaba siempre en su casa como si nada, pero su espíritu se juntaba con el de las otras Perras, ¿no?, cantando en el oído de alguna persona que habían decidido molestar.

Las Perras comenzaron a cantarle en el oído al pobre pescador. Todo, todo, todo, pero todo, todo el día. También cuando estaba durmiendo. El pobre pescador ya no sabía dónde meterse.

Wenceslao hacía como que no las escuchaba y no hablaba con nadie de esas voces que le cantaban al oído. Le cantaban cuando trabajaba, cuando descansaba, cuando estaba solo, cuando iba de visita a lo de sus parientes, cuando estaba despierto, cuando dormía, cuando estaba parado, y cuando iba caminando ¿no? Él sabía que querían hacerle perder la confianza, pero no se daba por vencido, y todos seguían considerándolo un hombre bueno y laborioso.

Resulta que un día, después de muchos años de oír siempre ese canto en el oído, nuestro viejo pescador (porque había pasado ya mucho tiempo, y no era más un nene como ustedes sino una persona mayor), estaba paseándose por el huerto, limpiando un poco y haciendo algunos trabajos. Iba siempre siguiéndolo el canto de las Perras. Al llegar cerca del limonero real, lo sorprendió ver una luz muy fuerte que salía del árbol. Era una gran luz colorada. De pronto, la luz se convirtió en una nube de fuego que flotaba encima del árbol, sin quemarlo. Sobre la nube, ¿a que no saben quién estaba? El Arcángel Gabriel, todo vestido de blanco, con alas de oro, y una espada de oro en la mano, de la que salían llamas. El viejo cayó de rodillas. "Noble anciano", le dijo el Arcángel. "No hagas caso de ese canto y ten confianza en mí. Prepárate, porque pronto harás un largo viaje." En seguida, las voces que lo habían venido persiguiendo durante tantos años, dejaron de cantar, y cuando el viejo pescador alzó los ojos, el Arcángel y la nube de fuego habían desaparecido. ¿No es hermoso?

Loco de contento, imagínense, el pescador fue corriendo a casa de sus parientes a contarles la buena nueva. Todos lo escucharon con gran felicidad. La noticia se propaló por todo el pueblo, y la buena gente del lugar iba a la casa de los parientes del pescador para felicitarlo. Todos celebraron el milagro con batir de palmas y otras muestras de alegría.

Era el mediodía, y había en toda la comarca un hermoso sol, porque la aparición del Arcángel Gabriel había tenido lugar en verano. El pescador, que tenía su barca ¿no? amarrada en la ribera, se despidió de sus parientes y de todos los amigos que habían venido a visitarlo y partió navegando rumbo a su casa. Al tocar la orilla de la isla, ¿no?, vio que en lugar del caminito que conducía a su jardín, había una gran escalinata toda de mármol y de oro que subía en dirección al cielo. Subía tan alto que no se podía ver hasta dónde llegaba. Al pie de la escalinata estaba el Arcángel Gabriel en persona, con su espada de fuego y sus alas todas doradas. "Ven noble anciano, le dijo, que yo te guiaré": y comenzó a subir la escalinata.

El noble pescador lo siguió. En lugar del canto de las Perras, que trataban de hacerle perder la confianza y volverlo loco, se escuchaba un dulce coro de serafines (que son unos ángeles muy hermosos que cantan siempre). Subían, y subían, y subían, y subíían. Ya iban quedando atrás las nubes y la luna, y las estrellas y el sol. Entonces llegaron a un inmenso salón, ¿no?, de paredes de mármol y de oro, y de techo de cristal. Todo era de oro y de cristal y estaba lleno de ángeles que cantaban. Y en medio de los ángeles, ¿a que no adivinan quién estaba? Sí señor, su hijito querido, que estaba esperándolo, y que al verlo llegar se aproximó sonriendo a él, y lo abrazó. El buen anciano no podía más de contento. No daba crédito a sus ojos. Y después el muchacho (que se había convertido también en un ángel y era tan hermoso que parecía un principito), le dijo a Wenceslao que lo siguiera y pasaron a otro inmenso salón, todo de mármol, de oro y de cristal. ¿Y saben quién estaba en ese salón? Nada menos que el papito de Wenceslao, que, por haber sido toda su vida honesto y laborioso, había sabido de ese modo ganarse el cielo. Los tres se abrazaron llorando de felicidad. No cabían en sí de contentos. Y desde entonces, el buen pescador vivió en el cielo con su papito y con su hijito, que los ángeles se habían llevado desde hacía tanto tiempo. Los tres juntos en el cielo, ¿no?, reunidos por fin para toda la eternidad.

Amanece

y ya está con los ojos abiertos

Ha visto, entreverada en la copa esférica del paraíso en el patio delantero, la primera luz roja del día mientras el Negro y el Chiquito, agitados, venían rápido a recibirlo, ha visto la sombra del brasero y la sombra de las llamas imprimirse sobre la tierra dura del patio, ha tomado mate mientras ella hilvanaba, empecinada, franjas de luto en el borde de los bolsillos de su camisa sabiendo, sin embargo, que él evita en lo posible ponerse las camisas que llevan esa franja, ha sentido, al aproximarse, el olor espeso del limonero real, cargado de azahares, de limones, de hojas duras y como laqueados, oyendo, a cada tirón, mientras cortaba los limones, el rumor minucioso y apagado de las ramas que transmitían su temblor a todo el árbol, le ha parecido, por un momento, mientras remaba despacio en el río brillante, en la canoa amarilla, sentado frente al Ladeado, oscilando hacia adelante y hacia atrás, aproximándose al Ladeado y alejándose de él a cada golpe de los remos, que remaba, no en dirección hacia lo de Rogelio sino viniendo desde allí en dirección a la isla, y que en lugar de la canoa amarilla era la verde la que se reflejaba, no en el agua brillante, leonada, lisa, sino en un río gris, y que quien estaba sentado frente a él no era el Ladeado, sino otro, ha bajado de la canoa esperando un momento al Ladeado en la orilla, han atravesado el montecito y el patio trasero, dejando allí la canasta con los limones y las brevas, han conversado un momento con los viejos en el patio delantero y han salido después en dirección al almacén, cortando por el caminito entre los espinillos, pasando por el rancho de Agustín para transmitir el mensaje de Rosa a Teresa, han atravesado el claro en diagonal sintiendo el sol del mediodía golpear recto y blanco sobre sus cuerpos y el camino, han regresado, parándose a descansar y a orinar entre los espinillos, ha escuchado durante la comida relatar a Rogelio, en voz alta y riéndose, para los hijos de Agustín y para Rogelito, un viaje en carro a la ciudad que habían hecho para transportar sandías al mercado de Abasto, en medio de la lluvia y con un caballo sin herrar, ha recordado muchas veces, imaginando que era ella quien debía estar recordándolo en el momento en que él, sin darse cuenta, lo recordaba, el cuerpo flaco con el pecho listado por las costillas pasando rápido por el patio delantero en dirección al río y después de un momento de silencio, de un modo súbito, la explosión de la zambullida y el chapoteo de las brazadas, ha "entrevisto", muchas veces, el camino de asfalto a la ciudad, desierto, formando, en el horizonte, a los ojos de los viajeros, espejismos de agua, ha "visto", en pleno mediodía, subir despacio, entre los árboles, la luna, ha pasado caminando después de comer cerca de los muchachos que jugaban a las cartas y tomaban vino directamente de la botella en la mesa del patio trasero junto a la que había encontrado, al llegar, a Rogelio despedazando con un cuchillo de mango amarillo el pescado que comerían a mediodía, rociándolo con el jugo de los limones del limonero real, ha tenido sueños confusos, debidos, seguramente, a la comida, mientras dormía bajo los árboles con la cara cubierta por el sombrero de paja, sueños que al despertar no le dejaron el más mínimo recuerdo, ha visto al Chacho y a la amiga de las hijas de Agustín fornicar parados contra un árbol, por quinientos pesos, y se ha acercado después a oler el calzón que la amiga de las hijas de Agustín dejó colgando de la rama del árbol, ha discutido con Rosa que quería llevarlo a la isla a convencerla de que debía venir a esperar el año nuevo con ellos, ha tenido por un momento la esperanza de que ella, admitiendo de que ya había pasado por fin el tiempo del luto podía, por primera vez después de seis años, salir del rancho y olvidar el cuerpo flaco con el pecho marcado por las costillas y la explosión de la zambullida, ha hundido el cuchillo en la garganta del cordero y ha deslizado después la mano, bruscamente, degollando, sintiendo, durante un minuto o más, las sacudidas del cuerpo, primero enloquecidas, furiosas y violentas, que han ido haciéndose cada vez más débiles y espaciadas, menos tensas, hasta detenerse, ha abierto enteramente, desde la garganta hasta el vientre, el cordero, lo ha cuereado y vaciado colgándolo después para dejarlo orear, ha atravesado el montecito en dirección al río, se ha desnudado, parándose en el borde de la barranca, zambulléndose, nadando en la semipenumbra amarillenta llena de nervaduras luminosas, se ha zambullido por segunda vez viendo desde el agua regresar la canoa amarilla en la que Rosa ha venido remando seguida por la canoa verde, conducida por la Negra, ha mandado a buscar leña a los muchachos y ha encendido después, en el atardecer, el fuego, ha extendido la mano hacia el núcleo de la hoguera para probarse a sí mismo hasta dónde era capaz de soportar y ha debido levantarse de un salto ya que en ese momento la construcción precaria de las brasas se ha desmoronado y unas chispas lo han alcanzado en el dorso de la mano y en la mejilla, ha salado el cordero y las achuras y preparado después una capa de brasas bajo la parrilla que ha limpiado refregándola con papel de diario, ha extendido sobre la parrilla, cuidadosamente, el cordero y las achuras, dejándolos a cargo del Segundo, ha vuelto del almacén de Berini en la penumbra azul del anochecer, con Rogelio y Agustín, en la penumbra azul, envueltos en una nube de mosquitos y oyendo, por todo el campo, un murmullo de voces y de música, ha relevado al Segundo junto a la parrilla al llegar, después de tomar un vaso de vino en el patio delantero con el vendedor de diarios que se ha alejado, más tarde, al galope, en la oscuridad, por el campo, lo ha oído, más tarde, mientras asaba el cordero y tomaba de vez en cuando un trago de vino de un vaso depositado sobre el pilar del horno blanco, vocear, dos o tres veces, el diario, a lo lejos, en distintos puntos del campo negro, ha visto comenzar a subir la luna entre los árboles, ha dividido las achuras, llamando a todo el mundo para que pase a recoger su pedazo junto a la parrilla, excepción hecha de los viejos a los que ha enviado un pedazo con la Teresita cuando la Teresita ha venido a traerle el gran tenedor de hierro negro, ha dividido la primera mitad del cordero en muchos pedazos, se ha atragantado con el primer bocado de carne y ha debido ponerse de pie, ahogándose, viendo durante unos segundos todo turbio a su alrededor, con los ojos llenos de lágrimas, se ha puesto de pie, como casi todos los demás, excepción hecha del viejo y de la vieja, al ver entrar a los músicos, Salas el Músico, el otro Salas, el ciego Buenaventura, si bien antes de que llegaran al patio, cuando la música iba aproximándose por el camino, los chicos se habían levantado corriendo a su encuentro en la oscuridad, ha estado largo rato tomando vino y charlando con el ciego en los intervalos de la música y viendo a los bailarines levantar un polvo rojizo a la luz de los faroles y girar bajo los árboles hasta que, después de medianoche, después que en la radio portátil de la Negra comenzaron a oírse silbatos, sirenas y campanas y todo el mundo comenzó a abrazarse y a besarse y los chicos encendían cohetes comprados a la siesta en el almacén de Berini, después del momento en que la última estría del año se consumó, sobre, o, detrás, si se quiere, de las que la habían precedido, aunque en el cielo, y en la noche, y entre los árboles ningún cambio se notó, cuando los músicos recomenzaron, tocando un vals, sin habérselo propuesto, sin haberlo pensado una fracción de segundo antes, ha cruzado la pista, el espacio circular en el que evolucionaban los bailarines, y ha sacado a bailar a la Teresita, dando vueltas y vueltas durante toda la pieza, sin parar, ha recibido de las manos de Rosa y de Rogelio un plato con un pedazo de cordero para ella y un paquete de huesos para los perros, se ha despedido, ha atravesado en la oscuridad mechada de luz lunar el montecito, oscilando, sin pensar en nada, ha acomodado el plato y el paquete en el fondo de la canoa y ha comenzado a remar, alejándose de la orilla, y ahora, en el centro del río, despacio, sin que pareciera oír ningún ruido, o ningún ruido más fuerte que el que pudiese producir la luna deslizándose en el cielo lila en el que hay tanta luz que las estrellas casi ni se ven, rema hacia la isla, demasiado impalpable como para llegar a ser consciente de su propia plenitud.

Amanece

y ya está con los ojos abiertos

Más que el ladrido de los perros, o el canto de los gallos, que viene desde muchas direcciones, o el de los pájaros excitados por el alba que recorren con vuelo afiebrado y en bandadas los árboles de la isla, ha escuchado primero que nada la respiración de ella que ha parecido, durante treinta años, despertar cada mañana una fracción de segundo antes que él, y después se ha levantado, se ha vestido, ha dejado moviéndose detrás, después de sacudirla al atravesar el hueco que separa el dormitorio de lo que ellos llaman el comedor, la cortina de cretona descolorida, ha orinado largamente en el excusado y la ha visto llegar desde el rancho en dirección al excusado, ha estado oyendo durante unos minutos el chasquido del peine al pasar una y otra vez por su cabello áspero, ha intentado convencerla de que debe dejar atrás el tiempo del luto, sabiendo desde antes de comenzar a intentarlo que no lo logrará, le ha parecido oír, en el silencio de la mañana soleada, la explosión de la zambullida y el ruido complejo y profundo de las brazadas, le ha parecido, mientras comía la primera breva, "atrás", durante unos segundos, que ella hablaba sola, y en seguida, durante unos pocos segundos más, que la voz del Ladeado era otra voz, ha comido su segunda breva después de reconocer la voz del Ladeado, ha atravesado el río en la canoa amarilla, ha visto las postas del enorme surubí despedazado por Rogelio, ha avanzado por el camino blanco en dirección al almacén de Berini, el camino sobre el que la luz del sol rebotaba astillándose y formando un enorme círculo blanco, ceniciento, que manchaba el cielo, el camino, el campo, ha tenido, mientras caminaba, la impresión de no avanzar cuando sus pies se hundían en el colchón de polvo arenoso, ha visto venir por el camino, por encima de la cabeza del viejo, sentado en la otra punta de la mesa, las tres manchas —azul, verde, colorada—, como empastadas contra un horizonte de árboles calcinados, despegándose gradualmente de ellos, ha estado parado de espaldas a la pared blanca, sobre la que se concentraba la luz, al lado de Agustín, enfocados por la cámara fotográfica de la Negra, ha presenciado una discusión brevísima entre la Negra y Agustín, ha visto, echado en el pasto, antes de ponerse el sombrero de paja sobre la cara para protegerse de la luz, el círculo de las copas de los árboles que nadie plantó nunca dejando ver un círculo de cielo azul y los destellos que resbalaban y cómo chisporroteaban sobre las hojas, se ha despertado completamente mojado, empapado en sudor, oyendo voces confusas y ruidos de agua y de ramas, ha abierto, en la garganta del cordero, un hueco, una herida que se ha cerrado sobre la hoja del cuchillo dejándola, por un momento, adentro, ha puesto bajo el chorro de sangre la palangana, ha terminado de cuerear y de vaciar el cordero con los brazos llenos de sangre, ha tenido la impresión, al to-

car el agua del río por primera vez con su cuerpo, al hundir-
se en ella, de haberse zambullido en el río un poco antes, ese
mismo día, ha visto levantarse una columna barrosa del lecho del río, en el fondo, deslizándose como ciego y como sor-
do, en un silencio plagado de un rumor lento y monótono,
del que no ha sabido si era la fuente o el destinatario, hasta
que ha reaparecido por fin a la superficie como en una suerte de irrupción brutal, recuperando el borde chato y amarillo de las islas y su vegetación polvorienta, ha fumado un cigarrillo en la costa mientras se secaba, ha encendido el fuego,
puesto el cordero y sus órganos a asar, ha marchado por el
camino recto, después de atravesar el gran claro en diagonal,
hacia el almacén de Berini, el camino sobre el que se proyec-
taban, en el atardecer, sus dos sombras largas y azuladas y por
el que cruzaban sulkys, caballos que iban y venían del almacén llevando gente atareada en las compras para la noche, ha
comenzado a oír, desde mucho antes de llegar al almacén, la
música del acordeón del ciego Buenaventura y después, desde más cerca, la de la guitarra de Salas el músico que lo acompañaba, ha oído el resonar y el repercutir de las bochas contra los tablones de madera en el fondo de la cancha, ha
comprado cigarrillos después de haber acabado el paquete
de importados que le ha ofrecido la Negra, se ha atragantado con el primer pedazo de cordero poniéndose de pie y
viendo durante un momento todo turbio, con los ojos llenos
de lágrimas, ha dejado resbalar, una y otra vez, la mirada sobre las caras de sus parientes sentados alrededor de la mesa,
ha conversado con Rogelio durante la comida de la posibili-
dad de sembrar arvejas el año próximo y melones para el
otro verano, ha asistido, en silencio, en un intervalo del baile, a una discusión entre el ciego Buenaventura y el otro Salas, oyendo afirmar al otro Salas su confianza en Dios y en la
otra vida y al ciego Buenaventura, sacudiendo muchas veces
la cabeza y mirando, según su costumbre, a ninguna parte, y
a nada en particular, que no hay más vida que ésta que todos
vivimos, llena de lágrimas, sin ningún plan ni dirección, y

que después de la muerte no hay nada, pero nada, pero nada, oyendo repetir muchas veces al ciego, serio y solemne, acompañándola cada vez con un sacudimiento de cabeza, la misma frase seca, convencida y como retobada, se ha despedido de sus parientes llevando un paquete de huesos envueltos en papel de diario y un plato cubierto con un repasador conteniendo un pedazo de cordero para ella, ha atravesado, remando plácido, el río, sin pensar en nada, sin oír nada, sin sentir nada, y sobre todo, sin recordar, como si estuviese flotando impalpable, en una dimensión por un momento más alta que la de todos sus días, no tan alta como para producirle algún vértigo, pero sí lo bastante como para impedirle ser consciente de ella, como para flotar por encima de la muerte, del sol, de la memoria, ha tocado la costa con la proa de la canoa y al poner el pie en la tierra ha vuelto a oír la música viniendo del otro lado del río, apagada, el rumor de los remos instalado, y como acumulado, en el recuerdo, actualizándose antes de desaparecer, su respiración, y, sobre todo, y otra vez, la explosión de la zambullida y el ruido complejo y profundo de las brazadas, ha subido, en medio de ese rumor, la barranca, el caminito de arena, llegando al patio delantero en cuya penumbra lila ha visto recortarse, a la luz de la luna, la copa redonda del paraíso y en el que el Negro y el Chiquito, excitados ya desde unos momentos antes al olfatear su proximidad y la de la carne y los huesos, han comenzado a saltarle encima y a girar incansables a su alrededor, ha dejado el plato con la carne en la mesa de la cocina, moviéndose en la oscuridad, ha abierto el paquete de huesos y ha sacado unos cuantos para tirárselos a los perros, atrás, cerca del excusado al que ha entrado para orinar oyendo, al terminar, el ruido de los dientes roer los huesos en la proximidad del excusado, ha avanzado despacio entre los árboles del fondo y se ha parado cerca del limonero real, pleno en toda estación, emitiendo un resplandor de entre su fronda densa, intrincada, lleno de flores blancas que florecen y caen con tanta continuidad que siempre está lleno de ellas, siempre el suelo a su alrededor está cubierto por sus pétalos blancos, recién desprendidos algunos, otros medio podridos, otros secos, otros pulverizándose para mezclarse con el aire y con la tierra, y siempre el espacio entre las ramas y el suelo atravesado por la lluvia blanca, espaciada, de los pétalos suspendidos en el aire, el limonero de hojas duras y laqueadas, oscuras en el anverso y de un verde más claro en el reverso, de grandes limones amarillos, de botones tensos y apretados a punto de reventar, de limoncitos verdes que se confunden entre las hojas, ha estado parado un momento cerca del árbol, que es más grande que él, que lo ha precedido y que lo sobrevivirá, ha vuelto a caminar en dirección al rancho entre la indiferencia de los perros que roen, ávidos, sus huesos, sintiendo el cuerpo empapado, la camisa hecha sopa pegada a la espalda, ha atravesado en la oscuridad lo que ellos llaman el comedor, la cortina de cretona descolorida que separa lo que ellos llaman el comedor del dormitorio, ha entrado en el dormitorio, ha comenzado a desvestirse viendo, a la claridad exigua que entra en el recinto por las rendijas del ventanuco de madera, los contornos de la cama, del arcón, el bulto confuso del cuerpo de ella tirado en la cama, el cuerpo que simula dormir, que se mueve para mostrar, paradójicamente, que no está ahí, ha dejado la ropa sobre una silla de paja y se ha estirado en la cama, suspirando, sin cubrirse, empujando más bien, con los talones, la sábana hacia el pie de la cama, ha cerrado los ojos y ha vuelto a abrirlos, varias veces, viendo de un modo cada vez más nítido el contorno de los muebles, del bulto inmóvil que vigila, esperando, el bulto que no descansará realmente hasta que él no esté, por fin, completamente dormido, ha cerrado los ojos por última vez, dejando que el enjambre de sus visiones, de sus recuerdos, de sus pensamientos, vuelva, gradualmente, y sin orden, a entrar, de nuevo, al panal, merodeando primero alrededor de la boca negra, entrando por grupos que se desprenden de la masa compacta, homogénea, de puntos negros que giran sin decidirse a entrar, hasta que van quedando, en el exterior, cada vez menos, dispersos, revoloteando sin orden, entrando y volviendo a salir, caminando, con sus patas frágiles, peludas, sobre el marco pétreo de la abertura, indecisos, y cuando queda por fin el espacio vacío, sin nada, hay todavía algo que sale, bruscamente, de la boca negra, sin dirección, y vuelve, con la misma rapidez, a entrar, ha dormido respirando y roncando, moviéndose en la cama y haciéndola crujir, algunas horas, y ahora, en medio de un rumor de viento y de lluvia, sabiendo que ella, como todas las mañanas, se ha despertado una fracción de segundo antes que él, está sentado en la cama, el corazón latiéndole de un modo violento, en el recinto incoloro, porque amanece, con los ojos abiertos.

Amanece

y ya está con los ojos abiertos